Wszystko z miłości

Roma Ligocka

Wszystko z miłości

Rysunki autorki

Wydawnictwo Literackie

Nierozpoznany jest żal,
nienazwana jest miłość.

R.M. Rilke, „Sonety do Orfeusza"
tłum. Julian Przyboś

Okulary mojej mamy

Każdy posiada coś takiego w domu: kufer, szafa, szuflada. Ja wybrałam kufer. Duży, solidny, przystosowany do częstych podróży. Znalazłam go kiedyś wieczorem na pustej ulicy, zabrałam do siebie i pomalowałam na niebiesko.

Należał do tych przedmiotów, które ludzie czasem po prostu wyrzucają, kiedy przestają im być potrzebne. Wytrzymał wszystkie podróże — jest u mnie do dziś. „Życie jest tylko po to, żeby je przeżywać" — powiedział Goethe. A po co w naszym życiu są przedmioty? I jaki ma być ich los, kiedy już przestaną nam służyć?

Żyjąc w teraźniejszości, niepostrzeżenie i nieustannie obrastamy zielskiem przeszłości. Pozostają nam stare listy, okulary, które straciły swoją moc, zegarek z przetartą skórką paska i zastygłym cyferblatem... Pozostają nie tylko te piękne starocie, o których nieraz chętnie piszę — filiżaneczki,

7

malowane dzbanki porcelanowe, lampy. Zostają także te skromne, nieefektowne — tak potrzebne i ważne w danej chwili, bezużyteczne w następnej...

Świadectwa szkolne, stare zeszyty, zdjęcia, zasuszone kwiaty.

Pakujemy je wszystkie do kufra — bo przecież nie można ich po prostu tak, na śmietnik...

A potem wędrują z nami — przetrzymują kolejne przeprowadzki, odporne na czystki — czasem wzruszające, częściej uciążliwe.

Mój przyjaciel w Berlinie — młody jeszcze człowiek — miał taką ukochaną walizkę, w której przechowywał różne swoje chłopięce pamiątki. Były w niej jego szkolne dyplomy, zdjęcia z wycieczek, zdobyte puchary, dziecinne lektury. Była pomarszczona piłka futbolowa. A że mieszkanie miał ciasne, zaniósł ową walizkę do piwnicy. Tam w czasie tegorocznej wielkiej powodzi zalała ją woda.

Tak się złożyło, że właśnie ja pomagałam mu wtedy wynosić na górę to, co pozostało. Żałosne, rozmoknięte, zapleśniałe resztki młodzieńczych wspomnień.

Próbowaliśmy je potem prasować, suszyć. I wówczas po raz pierwszy w życiu zobaczyłam go płaczącego. A przecież znam go od wielu lat. Przecież wiem, że młody mężczyzna — zajęty budowaniem sobie życia, małżeństwem, na pewno wieki całe wcale do tej walizki nie zaglądał.

Próbowałam go pocieszać, tłumaczyć, że to nie taka wielka strata, że najlepszą i najważniejszą część swojej przeszłości człowiek i tak nosi w sobie i nikt odebrać mu jej nie może — że żyje naprawdę ten, kto żyje w teraźniejszości.

Nie wiem, czy mi uwierzył.

Nie wiem nawet, czy mówiąc to, sama w pełni uwierzyłam sobie.

Od dziecka przywykłam do kataklizmów, do tego, że wszystko w każdej chwili może być człowiekowi odebrane — nie tylko zdrowie i życie, także rzeczy materialne. Mogą zostać zniszczone z woli innego człowieka, z powodu nieszczęścia lub przypadku — mogą być utracone, spalone lub porzucone przez nas w pośpiechu...

Wydawałoby się, że ktoś taki jak ja nie powinien już chcieć niczego przechowywać ani zbierać. A jednak ja także mam swój kufer.

W jakiś niewytłumaczalny sposób i mimo wszystko jest mi przydatny. Może dlatego, że w każdym z nas potrzeba pamięci stale walczy z pokusą zapominania. Nieczęsto do tego kufra zaglądam. Uroki i kłopoty dnia codziennego, plany na przyszłość zajmują mnie ciągle jeszcze bardziej niż powroty do przeszłości. Ale zdarza się. Niekiedy, od czasu do czasu, przypadkiem szukam czegoś, co akurat gdzieś się zapodziało — otwie-

9

ram wieko i wiem, że już za chwilę zawładnie mną mój kufer.

Zaczynam szperać, brać do ręki przedmioty — oglądać, jakbym widziała je po raz pierwszy. Uśpione — budzą się na chwilę, opowiadają, zadają pytania.

Czy to naprawdę ja namalowałam czerwoną kredką serduszko w kalendarzyku przy czyimś nazwisku? Albo trzy wykrzykniki przy dacie, która już dzisiaj nic mi nie mówi...

Mój stary paszport w granatowej okładce — są w nim wizy emigracyjne, anachroniczne dzisiaj, niepotrzebne zupełnie.

A wtedy musiałam walczyć o nie jak lwica, wystawać w kolejkach. Tak bardzo chciałam podróżować, czasy były niesprzyjające, a przybysz z dziwnego, komunistycznego kraju zawsze podejrzany. Powinny być na tych urzędowych stemplach ślady moich łez — a na pewno resztki tej niepotrzebnej, zmarnowanej energii i strachu, że się nie uda.

Są jakieś zaświadczenia, umowy o pracę w różnych językach, dokumenty, pochwały — papiery, papiery. W tekturowych, wyblakłych teczkach.

Niebieska, spłowiała sukienka. Kupiłam ją w Wenecji pewnej szalonej nocy... upał był wielki, a sklepy otwarte prawie do białego rana. Dziś ani jej nosić, ani wyrzucić.

Buty, ciżemki ze złotymi obcasami — może w nich jeszcze zatańczę na jakimś weselu...

Perfumy mojej mamy, Worth Ellegance — został po niej prawie pełen flakonik. Do dziś nie zwietrzały, pomimo upływu lat. Biorę go do ręki, ale otworzyć i powąchać znajomego zapachu już nie mam odwagi...

Zdarza mi się czasem długo tak przesiedzieć nad otwartym kufrem — zapatrzyć się w jego zawsze od nowa odkrywaną zawartość, jak w taflę wody, w której odbija się portret mojej przeszłości.

Kilka już razy zbuntowałam się przeciw terrorowi wspomnień. Chciałam radykalnie zmienić swoje życie — zacząć wszystko od nowa, nie obciążać się drobiazgami. Miało to być swoiste samozniszczenie — obalenie wszelkich barier, naiwna wiara, że od jutra wszystko będzie inaczej. Pozbyłam się wtedy głównie listów. Dziś nie całkiem jestem pewna, dlaczego to zrobiłam. Może obawiałam się, że przez przypadek czy nieprzewidywalny zbieg okoliczności wpadną w niepowołane ręce jakiegoś prześmiewcy.

Zniszczyłam wtedy między innymi listy i bileciki Agnieszki Osieckiej, pisane do mnie w różnych czasach i do różnych miejsc, w których przebywałam. Listy Piotra — no i wszystkich moich narzeczonych. A że zawsze obracałam się gdzieś tam wśród ludzi pióra, więc pewnie dziś obraziłoby się na mnie za to niejedno muzeum literatury.

Teraz nagle, po latach, odnalazłam w kufrze jeszcze jeden list Agnieszki, który cudem z tamtej czystki ocalał. List ma datę 17 września 1978 roku. „Kochana Romeczko — jestem roztrzęsiona jak wąż..." — tak się zaczyna.

Wyrzuciłam czy zostawiłam, przechowałam czy zgubiłam — może to rzeczywiście nie jest takie ważne? Może naprawdę ważne jest tylko to, co przechowujemy w pamięci — nie tej komputerowej, ale naszej własnej?

Kiedy po śmierci mojej mamy po raz pierwszy weszłam do jej pokoju, gdzie ją znaleziono, na stoliku nocnym koło łóżka zobaczyłam otwartą książkę, a na niej okulary. Oprawka była zniszczona, przyżółkła na brzegach, przetarta tam, gdzie zakładało się ją za uszy...

Nigdy chyba nie odczułam równie dojmującego ściśnięcia serca jak na widok tych okularów. Pozostały osierocone — samotny, wierny przedmiot, teraz równie bezbronny jak jego właścicielka.

Nie mam ich już dzisiaj, nawet nie wiem, gdzie się podziały. Od lat próbuję uciec od tego wspomnienia, uciec od miłości, na którą już za późno. Uciec albo chociaż nie podchodzić zbyt blisko...

Ciekawe życie

Obyś żył w ciekawych czasach — mówi stare, nie, nie chińskie przysłowie. Upieram się, że żydowskie, tak mówiło się u nas w domu i nie wygląda na to, że było to tłumaczenie z chińskiego. Zresztą jeśli chodzi o życie w ciekawych czasach, to tego akurat Żydom naprawdę nigdy nie brakowało. Dla siebie zaś i na własny użytek zmieniłam sobie to powiedzenie na: „Obyś miał ciekawe życie". No i takie mam. Jakoś nigdy długo nie było ono spokojne — nie umiałam sprawić, aby nic ciekawego i dramatycznego się nie działo.

Ciekawe życie — przekleństwo czy błogosławieństwo? Przywilej to czy klątwa? Miotać się, szarpać, ale zwiedzać swoje własne życie z ciekawością, jak jakieś muzeum osobliwości — czasem jak gabinet średniowiecznych tortur, a czasem jak skarbiec pełen drogocennych klejnotów. A może wystarczy zawsze wszystko rozsądnie planować, przewidzieć wszelkie niebezpieczeństwa, przed wszystkim się zabezpieczyć? Zadbać o wszystko... A potem już tylko nie zbaczać z kursu i jak przez wzburzone morze płynąć prościutko, gładko — od urodzenia do zgonu?

No i teraz moje życie znowu mnie zaskoczyło. Nie jestem tylko pewna, czy powinnam o tym opowiadać. Nie wierzę, że wszystko, co przeżywam, choćby nie wiem jak radosne czy bolesne, musi interesować innych. Jeśli więc mimo wszystko podzielę się z czytelnikiem przygodami minionych tygodni, to w nadziei, że ktoś właśnie teraz pakuje kufry, właśnie się przeprowadza albo dopiero coś takiego planuje.

Przeprowadzka. Znowu przyszedł taki moment — już wiem, że nie mogę tu zostać, muszę jechać dalej. Pakuję się, odchodzę, wyprowadzam się. Tutaj już wszystko dawno straciło sens i smak. Zmieniam mieszkanie, zmieniam miasto. Po wielu latach tu spędzonych pędzę dalej. Będę się uczyć wszystkiego od nowa. Inne kolory, inne światło, inny zapach, widok z okna. Ile kroków będzie z kuchni do salonu, z pokoju do łazienki? Jaka będzie w dotyku poręcz schodów, jaka okaże się ulica, którą odtąd nazywać będę „moją ulicą"?

Niby wszystko to już wiem, ale nie wiem naprawdę. I nie wiem, czy mogę tak postąpić wobec mieszkania, które było dla mnie dobre i opiekuńcze przez wszystkie te lata? Czy mogę je tak porzucić, nagie i bezbronne, oddać obcym ludziom, których może nie będzie lubiło? Pomiędzy piekłem i niebem jest tylko moje życie i moja decyzja — najbardziej kruche rzeczy na świecie.

Któregoś ranka wstaję, wypijam kawę i zaczynam pakować pierwszy karton. Biorę do rąk przedmioty, które dotąd miały swoje stałe, bezpieczne miejsca. Owijam je w gazetę, ostrożnie układam w kartonach. Ubrania na podłodze piętrzą się w gigantyczny stos. Brodzę po kolana w sukienkach, bluzkach, sweterkach — w tej kolorowej, niepotrzebnej rzece. Byle tylko nie liczyć, ile to wszystko kiedyś kosztowało, i nie myśleć, co by było, gdybym teraz miała te wszystkie pieniądze. A potem jeszcze przyjdą zdjęcia, które też trzeba jakoś posortować, popakować.

Listów nie przechowuję już od dawna. Bo to nie tylko moja prywatność, ale też tego, który je pisał. Pamiątki — czym są? Zaklętą w materię tamtą chwilą... Co zachować, a co wyrzucić?

Zdejmuję z drzwi wizytówkę, dojadam ostatnie konfitury. Już tu nie mieszkam, a jeszcze nie mieszkam tam. Wyłączam telefon i faks. Ulga i spokój — przez chwilę po prostu mnie nie będzie...

O świcie przychodzą panowie od przeprowadzek — bardzo niezadowoleni. „Wszystkiego jest za dużo i za ciężkie" — mówią i nawet nie wiedzą, jak bardzo mają rację.

Za dużo, za ciężko — najwięcej ważą wspomnienia i strach, że będzie obco, smutno. Że sobie nie poradzę. Kiedyś, przed laty, odwiedziłam w Lucernie pewnego katolickiego pisarza i filozofa. Stare, spokojne, miłe szwajcarskie miasto. I taki też był tego starszego pana dom: stary, chyba średniowieczny, grube mury, śmieszne okiennice, poczerniałe od starości drewniane stropy. „Tutaj urodzili się moi rodzice, dziadkowie i wszyscy w mojej rodzinie. Tu też urodziły się moje dzieci" — mówi gospodarz i dorzuca drewna do olbrzymiego kominka.

Za oknem przepływają łagodne szwajcarskie obłoczki, a ja serce mam pełne zazdrości i gardło ściśnięte od płaczu. Myślę o moich rodzicach i dziadkach, którzy całe życie tylko pakowali kufry, tłumoki z pościelą, tekturowe walizki — pakowali i rozpakowywali...

„Czytałem pani książki — mówi gospodarz — i zazdroszczę, bo pani miała naprawdę ciekawe życie. A my tylko tutaj. Zawsze tylko tutaj" — wzdycha na pożegnanie. Zazdrości mnie, wiecznemu tułaczowi, a ja zazdroszczę jemu. Nigdy nie będę wiedziała, kto ma rację. Ale życzę wszystkim, aby zawsze mieli spokojny dom albo przynajmniej zawsze od nowa próbowali go sobie stworzyć.

Wiosenna
Lekkość bytu

Biegnę po bułeczki do piekarni na rogu — zaraz za progiem domu wdycham haust cudownego, łagodnego powietrza. Moja ulica? Moja, chociaż inna, nowa. Drzewa już prawie zaczynają kwitnąć. Ładnie tutaj. Ładniej, niż myślałam, gdy pojawiłam się tu po raz pierwszy i wszystko ścięte było mrozem, nawet drzewa. Odkrywam ciągle nowe rzeczy — mały park z fontanną, bardzo miłą kawiarenkę, która przypomina mi tę w Greenwich Village w Nowym Jorku, gdzie tak łatwo można było ukryć się przed zgiełkiem miasta.

Moja nowa ulica przyjęła mnie dobrze, uznała za swoją — tak samo jak sąsiedzi. Tych bałam się najbardziej — może będą ponurzy, pewnie hałaśliwi. Tymczasem moja najbliższa sąsiadka zza ściany okazała się także osobą piszącą, tyle że książki naukowe, i to po angielsku, cichą i spokojną, i od razu zaakceptowała muzykę Mozarta, która niekiedy dochodzi zza moich drzwi. Na dole mieszka malarz z żoną rzeźbiarką. Co roku na plenery jeżdżą do Polski.

Gruby pan z czerwonym nosem, u którego kupuję gazety i gram w totolotka, już mnie zna.

— Powinnam u pana wygrać, tak na przywitanie — mówię — bo wie pan, jestem tutaj nowa.

Nowa! Choćby dla tego słowa warto było podjąć tę decyzję. A tak się bałam. Pisałam już o tym, ale wracam do tego dziś, kiedy w powietrzu już naprawdę czuje się wiosnę, a we mnie trochę więcej jest odwagi, trochę przekory, ale też wstydzę się za zmarnowane lękiem dni i noce. W końcu okazało się, że jest zupełnie inaczej.

Całkiem niespodziewanie nadeszły lepsze dni, inne, nie zaplanowane. Miał być dramat — nie było. Była zmiana — duża zmiana, po dwudziestu ośmiu latach. Na gorsze?

„Wszystkie zmiany są zawsze na gorsze" — podpowiadał mi strach. Nie spałam po nocach, nieważne już nawet, czego się bałam — bałam się zmian. Biłam się z myślami: zdecydować się czy zostawić codzienność taką, jaka była. „Żydowski pojedynek" (bicie się z własnymi myślami) — mawiała o tym moja mama. Być może jestem jakimś szczególnym przypadkiem — boję się zawsze tak wielu rzeczy. Wymyślam problemy, których nie ma, dzielę włos na czworo. A potem robię to, czego cały czas bałam się najbardziej. Bo przekonałam się, że jeśli gdzieś w głębi serca czujemy, że musimy coś zmienić, któregoś dnia budzimy się rano i dokładnie to czynimy. Mimo całego strachu — a może właśnie jemu na przekór.

W pewnym podręczniku jogi już dawno temu przeczytałam: „Jeśli przy podejmowaniu jakiejś decyzji czujesz, że boli cię żołądek, to zrezygnuj, nie podejmuj jej". Tyle że mnie przy podejmowaniu każdej decyzji boli żołądek (albo serce, albo głowa), a jednak właśnie wtedy z uporem ją podejmuję. Być może inni są „inni": silni, zdecydowani, rozsądni. Ale nawet oni — bardziej skrycie, mniej dramatycznie — także często uciekają przed podjęciem decyzji, wymyślają trudności, budują z małych problemów wysoki mur obronny.

Ze wszystkich zmartwień, którymi trapiłam się w życiu, przynajmniej dziewięćdziesiąt procent było niepotrzebnych — często powtarzam to moje ulubione powiedzenie. Może jesteśmy zbyt czujni, zbyt uważni, zbyt zasłuchani w nasze obawy. Wydaje nam się, że zaraz, lada chwila, coś złego może się zdarzyć, a nawet powinno. Mamy więc porozmawiać z szefem czy nie porozmawiać, iść do dentysty czy jeszcze odwlec tę wizytę? Rozstać się z partnerem czy tkwić w tym wszystkim, wyjechać czy zostać? Rzeczy nieporównywalne, różnego kalibru, ale mechanizm taki sam.

Może w tych wszystkich obawach gubi się samo życie, jego niepowtarzalny smak... Może słowo „lekkomyślność" oznacza coś dobrego — po prostu lekkość myśli, czyli beztroskę. A tak bardzo przecież chcemy, choćby przez chwilę, być bez trosk. Może odwaga to nie jest brak strachu, tylko panowanie nad nim.

Lubię film *Śniadanie u Tiffany'ego* — przyznaję się łatwo do tych banalnych filmowych gustów, tym bardziej że w przeciwieństwie do niektórych ja czytałam także książkę — bardzo piękną książkę. Otóż jedną z moich ulubionych scen jest ta, w której bohaterowie postanawiają pewnego dnia (i nawet nie wiem, czy był to dzień wiosenny) zrobić coś, czego nie zrobili jeszcze nigdy w życiu. I żeby było trudniej, nie może to być kosztowne.

Trudność ta i nam nie jest obca, ale przecież nie tylko dlatego rzadko przychodzi nam do głowy taki czarujący pomysł — pusty, dziecinny, ale może ważny i potrzebny. Pomysł, który tak szalenie może poprawić nasz, trochę przez jesień i zimę przygasły, apetyt na życie. Nie, nie muszą to być rzeczy wielkie, a już na pewno nie drogie. Nie muszę zaraz lecieć na Mauritius, choć nigdy jeszcze tam nie byłam. Ale mogę zadzwonić wreszcie do tej miłej osoby, której wizytówkę do dziś noszę w kieszeni... Mogę pomalować łazienkę na zielono, mogę...

Ale wracam do mojej ulicy. Moi bliscy mieszkają tu niedaleko, znajomi także. Mogę ich wreszcie zaprosić do siebie — wszystkich razem. Na pewno robię coś, czego nie robiłam nigdy. Jeszcze nigdy nie mieszkałam pod tym adresem — nigdy jeszcze nie było tej wiosny, która nadchodzi, no, jest już prawie...

Dzień luksusu

Dla Kasi

A gdyby tak pozwolić sobie od czasu do czasu na dzień luksusu? Co to takiego? Wytłumaczę. Jakiś czas temu napisałam tekst, który nazwałam *Dzień turysty* — nie przypuszczałam, że to się spodoba, co więcej, nie myślałam, że nawet ja, zainspirowana własną twórczością, dość często sama na taki dzień będę miała ochotę.

Pomysł był dość prosty i nietrudny do zrealizowania — namawiałam do tego, aby od czasu do czasu skorzystać z owego wyjątkowego, beztroskiego nastroju, jaki przysługuje turyście. Aby w jakikolwiek dowolnie wybrany dzień spróbować oderwać się choć na chwilę od codziennej rutyny — spojrzeć na swoje rodzinne miasto, a trochę też na swoje życie i siebie samego, z zewnątrz, jak człowiek obcy, turysta właśnie. Aby spróbować czasem zamienić dzień powszedni w święto, odpoczynek, przyjemność.

Ale człowiek piszący także niekiedy dojrzewa pod wpływem dialogu ze swoim czytelnikiem. Dojrzałam więc i ja i uznałam, że czas rozszerzyć dzień turysty — i całkiem nieskromnie zmienić go w dzień luksusu. Tylko co to jest luksus? Oto częste pytanie z przeróżnych ankiet i wywiadów. „Czym dla pani, pana jest...". Oczywiście dla każdego jest czym innym — i dla każdego taki dzień inaczej będzie wyglądał. Ja tylko proponuję — więcej, apeluję — abyśmy od czasu do czasu umieli sobie nań pozwolić.

Sama prawdopodobnie od zawsze miewałam takie „luksusowe" ciągoty — nie zastanawiając się dokładniej, na czym ów luksus właściwie polega. „Moja córka to księżniczka" — mówiła z przekąsem mama, kiedy wracałam do domu taksówką zamiast tramwajem. Myślałam więc wtedy, że luksus sprowadza się głównie do podróżowania taksówkami. Później w życiu zdarzało mi się spotykać ludzi bogatych — nie tylko trochę ode mnie bogatszych, ale i takich bogatych naprawdę. Zapraszali mnie czasem do siebie, bo byłam gościem miłym, niekłopotliwym i chyba mnie lubili. Zapraszali mnie, myślę, także i dlatego, że nie wyczuwali we mnie odrobiny zawiści ani chęci posiadania tych wszystkich dóbr, które im były dane. Nie, nigdy nie traciłam czasu na zawiść — przyjmowałam jako oczywistość to, że im los dał, a mnie nie — a jak nie, to trudno.

Ale może gospodarze nie wiedzieli, że jednak przywłaszczam sobie coś, co do nich należało. Nie widzieli, jak uważnie ich obserwuję — ich sposób bycia, obyczaje, rozrywki, ich poczucie stylu, dane lub nabyte, o ile oczywiście je mieli.

Przymierzałam więc czasem to cudze bogactwo jak balową suknię — czy byłoby mi w niej do twarzy... Zastanawiałam się, czy byłabym inna i jaka, gdybym nie musiała codziennie stawiać czoła troskom i kłopotom, gdybym nie musiała tak często być ofiarą męczących, nękających przymusów.

Czy byłoby mi do twarzy ze spokojnym uśmiechem, pewnością siebie, czy łatwiej byłoby mi być ze sobą samą, no i innym ze mną.

Przyglądałam się tym wszystkim moim bogatym znajomym, zawsze zadbanym, ładnym i dużo młodszym, niż być powinni — uśmiechającym się do mnie błyszczącym, równiuteńkim rządkiem drogich zębów. Nie, nie czułam się między nimi źle, ale czułam się jak gość, obserwator, wieczny podróżnik wśród zadziwiających pejzaży ludzkiej duszy.

A gdyby tak — pomyślałam — ukraść bogatym i przywłaszczyć sobie to, czego i tak mają w nadmiarze — poczucie wolności i luksusu. Choćby od czasu do czasu, choćby na taki właśnie jeden dzień.

Co robiłabym tego dnia? Przede wszystkim na chwilę przestałabym się bać. „Strach zjadać duszę", powiedział łamaną niemczyzną pewien Turek w pewnym niemieckim filmie. A my boimy się tylu rzeczy naraz — że czegoś nam zabraknie, nie wystarczy, że w pracy się nie uda... więc może umówię się ze sobą, że tego dnia strach nie będzie miał do mnie dostępu — nie, i już.

Luksus to naturalnie dbanie o siebie. Te wszystkie maseczki, kąpiele, na które nigdy nie ma czasu albo cierpliwości — i oczywiście, owo przekonanie, że tego dnia jestem dla siebie najważniejszą osobą na świecie.

Wiadomo, dla wielu luksus to wakacje — i ja pamiętam takie trzy tygodnie na Elbie, kiedy pod koniec pobytu przez chwilę nie mogłam sobie przypomnieć, jak nazywa się kanclerz Niemiec i gdzie właściwie leżą te Niemcy. Oddzielało mnie od nich błękitne morze i moje własne morze wakacyjnego spokoju. Wiem, przyznaję — na wakacjach o dystans najłatwiej.

Codzienny przymus informowania się, śledzenia wydarzeń zadziwiająco łatwo nas wtedy opuszcza — znika, jakby nigdy go nie było.

A w domu? W domu wydaje nam się, że musimy wszystko widzieć i wiedzieć, być zorientowani, mieć zdanie. Choć nie zawsze możemy być pewni, czy to zdanie tak naprawdę jest nasze.

A może moglibyśmy zdobyć się na taki dzień, w którym byłoby nam to wszystko trochę obojętne — na odświeżający, chłodny luksus nieposiadania żadnego zdania na żaden temat... może dałoby się na chwilę zatrzymać kręcące się w głowie spirale sprzecznych opinii, twierdzeń, pytań i poglądów, ważnych i nieważnych... Gdyby tak na chwilę odsunąć od siebie wszystkie te konflikty, które — nie przez nas wywołane — bez nas także mogą się rozwiązywać? Także i te rodzinne, zawodowe, wszelakie...

A my przez ten czas idziemy na prawie wakacyjny, spokojny spacerek albo, z kijami w rękach, odziani w szykowny sportowy strój — udajemy się na tak polecany przeze mnie Nordic Walking.

Luksus kojarzymy najczęściej i prawie automatycznie z odpoczynkiem. Z umiejętnością sprawiania sobie przyjemności — choć już niekoniecznie z bezczynnością. Tego dnia także zajmuję się wieloma rzeczami — ale robię to, co chcę, jak chcę i kiedy chcę. A wszystko, co robię, cieszy mnie i bawi. Praca? Praca też. I to być może mógłby być luksus największy.

Niektórym z nas uda się wygospodarować niewiele wolnych dni, aby poćwiczyć się w luksusie — a ja namawiam tu tylko do odpoczynku, nie zaś do samobójstwa, czyli ryzyka utraty pracy. Jeśli więc nie można inaczej — idziemy do pracy. Idziemy z uśmiechem na ustach i z głębokim,

skutecznie wmówionym w siebie przeświadcze-
niem, że udajemy się tam, bo tak nam się właśnie podoba, dla kaprysu, dla rozrywki. Im lepiej
siebie samych o tym przekonamy, tym łatwiej to
zamieni się w prawdę. A potem już trzeba być
konsekwentnym — jakkolwiek zachowywałby się
szef, jakkolwiek nękała uciążliwa klientka — nie,
nikomu nie uda się wyprowadzić nas z równowa-
gi — uśmiecham się, nikt nie wie, że to mój specjalny dzień — denerwować będziemy się kiedy
indziej.

Pracowałam kiedyś w show-biznesie — nie,
nie było to dobre miejsce i nie czułam się tam
szczęśliwa — szarpało nerwy, psuło charakter.
Ale dawało okazję do wielu ciekawych spotkań.

Otóż poznałam pewnego, starszego już aktora.
Nie był przystojny i raczej średnio zdolny, ale miał
coś z mędrca.

Żył z drobnych rólek — o większych nawet
nie marzył. Większość czasu spędzał we własnym
domku w górach, z żoną i psem.

„Powietrze tam jest tak czyste, że ani palić
się nie chce, ani pić" — opowiadał, a ja słucha-
łam z podziwem. Dla mnie był człowiekiem ży-
jącym w luksusie, ponieważ umiał wypracować
sobie łagodny dystans wobec wielu przykrości
i upokorzeń, które nieuchronnie przynosił jego
zawód — i to nie tylko dlatego, że mieszkał daleko
od zgiełku.

Nie był oczywiście żadnym hipisem — ale pracy zaczynał szukać dopiero wtedy i tylko wtedy, kiedy potrzebował pieniędzy. O dziwo, zawsze udawało mu się ją znaleźć. Zdobywał jakąś większą lub mniejszą rolę, choć nie był przecież lepszy od innych.

— Widzisz, dziecko — mówił do mnie — przed każdym zawodowym spotkaniem wyobrażam sobie bardzo intensywnie, że jestem bogaty — a to, co robię, robię dla przyjemności. Jestem człowiekiem zamożnym, opanowanym, spokojnym — i na niczym tak bardzo mi nie zależy…

— Ale czy można aż tak udawać, czy to nie za łatwe — każdy natychmiast to przejrzy?

— Nie, nie udawać — poprawił mnie — uwierzyć.

Różowy krem

Pani Irenka pojawiła się w moim życiu kilkanaście lat temu. Przyjechałam wtedy po raz pierwszy do kraju po wielu latach nieobecności. Chodziłam po ulicach Krakowa wzruszona i przejęta. Trochę o tym później pisałam. Ale chyba dotąd nie pisałam, jak bardzo byłam przerażona brudem, złym powietrzem, zaniedbaniem. Dusiłam się, nie miałam czym oddychać. Gdy spojrzałam w lustro, twarz miałam szarą, pojawiły się jakieś nie istniejące przedtem zmarszczki. „Znam świetną kosmetyczkę — powiedziała znajoma. — Ma salon w śródmieściu". Dobrze — pomyślałam — świata na razie nie zmienimy, Krakowa też nie, zajmijmy się swoją twarzą.

Pani Irenka była młoda, ładna i bardzo miło pachniała. Dotyk jej rąk sprawiał przyjemność, a bliskość nie budziła lęku, choć zawsze czuję instynktowny niepokój, kiedy ma mnie dotknąć fryzjer, kosmetyczka, czy nawet lekarz. Jakby przełamywana była jakaś niewidzialna bariera. Tutaj, ułożona na wygodnym fotelu, owinięta kocykiem, z przyjemnością oddawałam się zabiegom delikatnych i rozumnych rąk pani Irenki.

Salon kosmetyczny, o którym jego właścicielka mówiła z dumą „zakład", był jej dziełem, podobnie jak jego wygląd, tak charakterystyczny dla wczesnych lat dziewięćdziesiątych. Ściany pomalowane na turkusowo i różowo. Reklamy zagranicznych, niedostępnych w kraju kosmetyków, plastikowe mebelki. Poczęstowana zostałam kawą „zalewajką" o nieokreślonym smaku. Ale po godzinie zabiegów pani Irenki poczułam się jak nowo narodzona. Na zakończenie moja twarz otulona została warstwą różowego kremu, który wyglądał jak sławne ciasteczka, w Krakowie zwane napoleonkami.

— Robię go sama, tylko na własny użytek — powiedziała skromnie pani Irenka.

— Wygląda pani przepięknie, buzia jak u dziecka — takimi słowami zostałam pożegnana.

Na początku poznałam tylko różowy krem, później także życie osobiste jego twórczyni. Pamiętam, jak podczas jednej z moich pierwszych wizyt zadzwonił telefon.

— Ma gorączkę? Kaszle? — szeptała pani Irenka do słuchawki. — No, to trzeba ją zaraz zabrać z przedszkola. Błagam, niech mamusia z nią zostanie!

— To moja teściowa. Córeczka jest przeziębiona, a mąż w pracy... — pożaliła się.

Odwiedzałam salon pani Irenki dość regularnie. Zmieniał się z biegiem lat. Turkusowe ściany zastąpiła boazeria, szumiał ekspres do kawy, a w kącie za zasłoną znalazło się solarium. Rozmawiałyśmy — wkrótce byłyśmy już na ty. Rozmowy w salonie fryzjerskim, u kosmetyczki, dawniej u krawcowej — intymne, bardzo osobiste...

Kontakt fizyczny sprzyja zwierzeniom. A jednocześnie ma być przyjemnie. Mamy wyjść wypięknione, radosne. Mówimy więc o naszym ogródku, o dzieciach, teściowej. Ale o tym, jak bardzo owa teściowa działa nam na nerwy, nie mówimy. Poznawałam więc życie Irenki pewnie w sposób fragmentaryczny. Jej córka rosła. Któregoś dnia wpadła do salonu w białej, długiej sukience i w wianku.

— Popatrz, mamo, kupiłyśmy z babcią sukienkę do Komunii!

— Sama chciałam z nią tę sukienkę kupić — westchnęła potem Irenka — ale wiesz, jak to jest, zakład, praca.

Wiedziałam.

Później długi czas byłam zbyt zajęta, by wpaść do Krakowa. Minął więc ponad rok, zanim mogłam znowu wyciągnąć się na ulubionym fotelu i słuchać relaksacyjnej muzyki, podczas gdy Irenka układała na mojej twarzy kolejne warstwy różowych wonności. Od razu zauważyłam, że mocno się zaokrągliła — była w ciąży.

— Dobre nowiny! — powiedziałam życzliwie.

— Większe, niżbyś się spodziewała. Nie chciałam ci wcześniej o tym mówić — szepnęła mi na ucho. Okazało się, że zdążyła się rozwieść, wyjść za mąż po raz drugi, no i właśnie...

— On był kolegą mojego męża. Może głupio zrobiłam, ale wiesz, szaleństwo mnie opętało. Miłość — po prostu. Uśmiechnęła się do mnie i pokazała dołeczki w policzkach. Rozstanie poszło gładko. Pierwszy mąż nie zgłaszał pretensji.

— A twoja córka?

— Wydoroślała — zobaczysz ją, zaraz tu wpadnie.

— Mamo! Czy potrafisz namalować trupią czaszkę? — zapytała jak zwykle już od progu.

— No, nie bardzo — zakłopotała się matka.

— Ale ja potrafię — oświadczyłam z dumą.

W szkole był bal kostiumowy — Ania miała przebrać się za ducha. Przez następne pół godziny, z zasychającą na twarzy maseczką, malowałam więc białe trupie czaszki na czarnym płótnie.

Kiedyś, później, salon Irenki znów się zmienił. Był teraz urządzony zgodnie z zasadami feng shui. Białe ściany, dużo roślin, zniknęło solarium. Zamiast kawy była zielona herbata. Poznałam też nowego męża — był przystojny, niebieskooki — oraz synka Marcinusia.

— Ładny ten twój mąż — pochwaliłam.

— Ładny, ale co z tego...

Poglądy Irenki na miłość i małżeństwo wyraźnie zmieniały się z czasem. Moje zmieniły się już dawno.

Kiedy wczoraj znów ją odwiedziłam, uderzyła mnie jej nienaturalna szczupłość — jakby ubyło jej połowę. Choroba? Anoreksja? Nie. To było coś innego.

— Rozwodzę się — powiedziała prawie beznamiętnym głosem — podczas gdy jej ręce sprawnie masowały moją twarz. Poddawałam się tym zabiegom, słuchając, jak tuż koło mnie rozsypywało się w kawałeczki czyjeś życie.

— Mąż chce mi odebrać dziecko, no i oczywiście wszystkie pieniądze. Będę musiała sprzedać zakład.

Kiedy wyszłam, dopiero na schodach zorientowałam się, że dziś nie było różowego kremu. Nie szkodzi, następnym razem — pomyślałam, a potem uświadomiłam sobie, że następnego razu pewnie już nie będzie.

Stanąć obok...

Siedzę na zimnych betonowych schodach, boję się
i nie wiem, co robić dalej. W rękach trzymam dwie
piękne torby na zakupy — w Polsce pogardli-
wie zwane reklamówkami. W rzeczywistości są to
swoiste dzieła sztuki. Jedna w kolorze turkuso-
wym, z czerwoną rączką, druga biała, zamknięta
czarną jedwabną wstążką. Obie mają kunsztowne,
obmyślone przez grafika, logo swoich firm. Zawsze mi żal takie cacka po prostu wyrzucić. Dziś
w jednej z toreb mam paczkę różowych lukro-
wanych ciasteczek w formie serca — dzieło naj-
lepszej w Monachium cukierni. W drugiej trochę
kosmetyków i bajecznie kolorowe skarpetki dla
mojej chrześniaczki Zosi. Wszystko to owoc po-
rannej, trochę niepotrzebnej wyprawy do miasta.
Miałam załatwić konkretną sprawę, potem jednak,
zamiast rozsądnie wrócić do domu i do biurka, postanowiłam jeszcze tylko „na chwileczkę" zajrzeć

do jednego, a potem do drugiego sklepu. W końcu zaś znalazłam się w tym domu towarowym. Od razu pojechałam windą na czwarte piętro, ponieważ wiedziałam, że tam jest najciekawiej. Czas jakiś błądziłam, podziwiając oryginalne pomysły przeróżnych awangardowych designerów i wmawiając sobie nieszczerze, że interesują mnie wyłącznie jako przeżycie artystyczne.

Kiedy jednak poważnie zaczęłam się zastanawiać, czy nie przymierzyć szalenie wąskich, naszywanych cekinami spodni, a jednocześnie zobaczyłam swoje odbicie w lustrze — powiedziałam sobie, że czas wrócić do domu, i to natychmiast.

Najpierw odnalazłam windę, ale ta przejechała koło mnie kilkakrotnie, za każdym razem szczelnie wypełniona ludźmi. Nigdy największy nawet pośpiech nie zmusił mnie do wejścia do przepełnionej windy. Zejdę sobie zwyczajnie schodami — pomyślałam. Tylko gdzie te schody? Rozejrzałam się. Znalazłam drzwi — ciężkie, metalowe. Otworzyłam je. No i zaczęło się.

Byłam na pustej klatce schodowej. Szare ściany, betonowe schody. Tylko jedne drzwi, te, którymi weszłam. Na przeciwległej ścianie ogromna czarna cyfra „4". Kolejne piętro wyglądało tak samo, tylko na ścianie była cyfra „3" i jedyne drzwi — zamknięte. Może wrócić na górę i spróbować jakoś inaczej się stąd wydostać? — powiedziało coś we mnie bardzo cicho. Zlekceważyłam ten głos.

Schodziłam. Wreszcie po cyfrze „1" ukazało się „0" — i drzwi. Szarpałam, tłukłam w nie — nie otworzyły się jednak. Prawie biegiem wróciłam na górę — odnalazłam cyfrę „4" i drzwi, którymi przecież wyszłam, tym razem zamknięte na głucho. Zbiegłam, wróciłam na górę — kilka, nie wiem ile, razy.

Teraz siedzę na tych schodach i bije mi serce. Która godzina? Boję się spojrzeć na zegarek. Wiem, że kiedy tu przyszłam, dochodziła dwunasta, znajdowałam się w centrum Monachium — wielkiego, ruchliwego miasta — świeciło słońce. Nie wiem, ile już czasu spędziłam tu sama, w tej szarości. Całą wieczność? Może już straciłam poczucie czasu, może postradałam zmysły? A może całe moje życie było złudą, a realne są tylko te schody?

Uspokój się — mówię sobie. Robiłaś zakupy — spójrz! Moje kolorowe torby, te lukrowane ciasteczka... Kupowałam je przecież, to jeszcze pamiętam. Co stało się potem? Czyżbym w jakiś niepojęty sposób wypadła z mojego życia i nie miała już do niego wrócić? Opieram łokcie na kolanach, głowę na rękach. Przymykam oczy, ogarnia mnie senność...

Ciężkie drzwi otwierają się nagle lekko i cichusieńko. W progu stoi dziewczyna — duża, gruba blondynka. Ubrana w czarne spodnie i koszulkę z plakietką sprzedawczyni. Poniżej koszulki tłusty biały brzuch z kolczykiem. Kiedy staje nade mną, mam ten brzuch na wysokości oczu. Podrywam się na nogi.

— Ja tylko szukam wyjścia — mówię, uprzedzając jej pytanie. Nie wygląda na osobę miłą.

— To zejście do magazynu, tylko dla personelu, jak pani się tu dostała? Trzeba mieć klucz... Widać ktoś nie domknął — dodaje niepotrzebnie. Otwiera przede mną drzwi. Znika i zapomina o mnie na zawsze...

Wyjść z siebie i stanąć obok — było takie powiedzonko w moich szkolnych czasach. Przypadkiem, w pewnej chwili... Wystarczy jakiś nieznany korytarz, obce schody, niewłaściwe drzwi. Wystarczy pociąg, który nagle w nocy zatrzyma się nie na tej stacji, opóźniony samolot, nie to lotnisko. Wystarczy przerwa w dostawie prądu, winda między piętrami, a ty w tej windzie, w ciemności. I nagle nie wiesz, gdzie jesteś, nie wiesz, kim jesteś. Przerwany zostaje rytm twoich godzin, codzienna rutyna. Przewidywalne zamienia się w nieprzewidywalne.

Codzienność to nie tylko błahość, przeciętność, nuda. Codzienność to także bezpieczeństwo, urok zwyczajności, znajoma melodia. Odliczone kroki na ścieżce.

„Co słychać?" — pytają nas. „Jak zwykle" — odpowiadamy. Nasze życie — znajome, sprawdzone, bezpieczne. Zdajemy się nie zauważać niepowtarzalnego uroku powtarzalności, dopóki nie przekonamy się, jak łatwo, choćby na chwilę albo i na całą wieczność, może zostać nam odebrana. Zanim zgaśnie światło, zadrży ziemia albo znajdziemy się sami na zimnych betonowych schodach...

Wszystko z miłości

Anna Karenina miała sen. Była to tajemnicza, przerażająca zmora, która czasem ją nawiedzała. Śnił się jej mały człowieczek, brudny, wstrętny, z rozwichrzoną brodą. Robił coś przy szynach kolejowych, postukiwał w nie młotkiem — upiornie, złowieszczo... Obudziła się zlana potem. Myślę, że już wtedy wiedziała, że umrze tego dnia. Wszystko, co wydarzyło się później, było tylko ostatnią nieudaną grą z losem w pokera. Wbrew temu, co pisali liczni komentatorzy tej niezwykłej książki, twierdzę, że Anna umiera nie dlatego, że świat ją odrzucił (cóż ją tak naprawdę obchodzi świat!), nawet nie dlatego, że rozłączono ją z ukochanym synkiem, choć pewnie trochę także i dlatego — Anna Karenina umiera z miłości. I wie, że zawsze tego chciała.

W jakimś momencie swojego życia uświadamia sobie, że jest sama, że nawet ten, którego ko-

cha do szaleństwa, nawet on jest już od niej daleko — a może właśnie, że on jest najdalej.

„Aż do chwili gdy zaczął się między nami romans, szliśmy ku sobie, od tego czasu natomiast
zaczęliśmy się niepowstrzymanie od siebie oddalać. Nic tego zmienić nie zdoła" — uświadamia
sobie. Ponieważ uczucia ludzkie nie biegną równiutko obok siebie, jak szyny kolejowe — uczucia
ludzkie niepowstrzymanie zbliżają się do siebie,
krzyżują — by potem równie nieuchronnie oddalać się od siebie, oddalać, oddalać... „Miłość moja
staje się wciąż bardziej namiętna i samotna, a jego
miłość stopniowo wygasa, oto dlaczego się roz-
stajemy" — myślała dalej. Kiedy Anna zdaje sobie
z tego sprawę, wie już, że jest sama, tylko na siebie zdana — i bliska szaleństwa, nieuniknionego
jak samotność.

„Pisać — jak mówi poeta — to dotykać niezna-
jomego". A jednak Tołstoj — autor, pisze o swojej
bohaterce tak, jakby wszystko o niej wiedział...

Mam taką zasadę, że nigdy nikomu nie pole-
cam moich ulubionych książek. Wiem, że między
książką, autorem a czytelnikiem musi się wytwo-
rzyć specjalna, intymna więź — i nikt nie może
służyć tu za pośrednika.

Swoją książkę trzeba samemu znaleźć, poko-
chać, wykorzystać ją do cna, a potem porzucić —
aby znaleźć sobie inną, przynajmniej na jakiś czas.

Dziś jednak na chwilę odstępuję od tej zasady. Bo kiedy myślę o miłości...

Bo kiedy myślę o wszystkich tych kobietach, dziewczętach, młodych, zapracowanych... Wiem, ich dzień upływa między pracą, odbieraniem dziecka z przedszkola, między zakupami — a tą masą dość tajemniczych dla mnie czynności, tym klikaniem, blogowaniem, serfowaniem...

Gdyby jednak któraś z nich chciała zatrzymać się choćby na chwilę, gdzieś tam w środku i pomiędzy, aby przeczytać choćby tylko jedną książkę, gdyby zechciała z jednej tylko książki dowiedzieć się wszystkiego o sobie, kobiecie, miłości — niech sięgnie po *Annę Kareninę* Tołstoja.

To nieważne, że jest połowa dziewiętnastego wieku. To nieważne, że Anna ubrana jest w krynolinę (a u gorsu przypiętą ma girlandę ze świeżych bratków), nieważne, że siedzi w powozie, a nie w samochodzie...

W dniu swojej śmierci — była to niedziela — Anna jedzie powozem — chce odwiedzić swą przyjaciółkę Dolly. Ta wizyta to jej ostatni krzyk rozpaczy, to wołanie o pomoc. Wszyscy to znamy: nadzieja, że ktoś, ktokolwiek, obcy czy bliski, powstrzyma nas albo los. Powie lub zrobi coś takiego...

Ale nikt nie może jej pomóc. Nic podobnego się nie zdarzy, nigdy się nie zdarza.

Anna Karenina była piękna, miała wspaniałe stroje, pieniądze, wpływowego męża, uroczego synka. Miała więcej, niż niejedna z nas kiedykolwiek mieć będzie. Gdybyż to nam tak wiele było dane — myślimy sobie. Ukochany wreszcie porzuca dla niej cały swój świat — rodzinę, karierę. Zabiera ją za granicę — kiedy znudzi im się zagranica, wywozi ją na wieś, otacza luksusem. Kiedy i wieś się znudzi — przenoszą się do wielkiego miasta. Anna zaś zamiast być szczęśliwa — coraz bardziej zapada się w sobie. Widzi i czuje, jak dzień po dniu i noc po nocy coś się między nimi gubi i czegoś ubywa. Wie, że dzieje się właśnie to, czego nigdy nie chciała: zamienić jednego męża na drugiego, jedną codzienność na inną zwyczajność. „Gdzie byłeś, czemu się spóźniłeś, z kim rozmawiałeś, kochasz mnie jeszcze?" Nie chce zadawać takich pytań i rozpaczliwie, wbrew sobie, ciągle je zadaje. „Nie o to chodziło!" — zdaje się coś w niej krzyczeć. Chce dojść do sedna miłości — zrozumieć, co w niej jest takiego, co każe człowiekowi porzucić dom, męża, dziecko. Chce wznieść się w chmury, dotrzeć do granic, ulecieć…

Anna Karenina wymarzyła sobie miłość, której nie ma, a kiedy to zrozumie, chce umrzeć. I umiera.

Przedtem raz jeszcze wsiada do powozu — jedzie na dworzec kolejowy. Obserwuje ludzi, którzy nagle wydają się jej brudni, nieciekawi, banalni. Wie, że już nic jej z nimi nie łączy. Zostawia za sobą codzienność, myśli przerażająco jasno. Rozumie, że miłość istnieje i że jest bólem. Dla niej już tylko bólem. Wie, że aby osiągnąć bliskość — tę bliskość, której pragnęła i dla której żyła — musi jak najbardziej się oddalić.

Piszę to i nagle przerywam na chwilę, aby spojrzeć na niebo i drzewa...

Były takie wieczory, kiedy płakałam, ponieważ nie umiałam wykroczyć poza teraźniejszość. Płakałam, ponieważ nikt nigdy nie kochał mnie tak jak Annę jej ukochany, i tak, jak ona kochała jego. Może to nie o niej piszę, tylko o sobie? Może ona to ja...

Mnie też czasem śni się mały człowieczek, który śmieje się złowieszczo. Ale ja wybrałam rozsądek, równowagę, życie. Zapłaciłam samotnością. Pozostałam na ziemi. Anna tymczasem pochyla się: „wtuliwszy głowę w ramiona, pada pod wagon". I leci w górę, tak jak chciała.

Jak w kinie

Był sierpień, upał — wakacje. O poranku odprowadziłam synka do autobusu, który miał go zawieźć na obóz letni. Wracałam pieszo, pustymi ulicami Wiednia. Powietrze było szare od gorąca — grube, stare mury dzień i noc utrzymywały temperaturę jak w piekarniczym piecu. Nieliczni o tej porze turyści, przyodziani w przyciasne koszulki, koszmarne majtasy i sandały — snuli się leniwie, liżąc lody i mało zwracając uwagi na przepiękną architekturę miasta, które ich otaczało.

Wracałam trochę smutna — już zaczynałam tęsknić za swoim dzieckiem. Był to akurat okres, kiedy miałam nieco więcej pieniędzy i mogłam mu zapewnić dużo bardziej luksusowe wakacje — ale mój syn uparł się tylko na ten, dosyć spartański obóz pod namiotami. Miał dwanaście lat i tam właśnie spotykali się jego najlepsi koledzy. Nie miałam więc wyboru. Poprzedniego wieczoru długo pakowaliśmy razem jego plecak, który w końcu okazał się większy od niego. Rano stanęłam w tłumie równie jak ja niespokojnych matek — oraz rozwrzeszczanych, podnieconych dzieci.

Syn mój, po krótkiej utarczce z dwoma dryblasami, wywalczył sobie w autobusie miejsce przy oknie i zaczęło się machanie chusteczkami — a moja służyła również do dyskretnego wycierania łez.

Wreszcie, kiedy autobus zaczął już nabierać prędkości, a jeden z dryblasów pokazał mi przez szybę pięść z wyciągniętym środkowym palcem — zrozumiałam, że czas wracać...

Dobrze mi się wtedy powodziło. Przez krótką chwilę i niezrozumiały kaprys losu życie postanowiło trochę mnie pogłaskać.

Pracowałam w Operze wiedeńskiej — mogłam tu projektować takie kostiumy, o jakich zawsze marzyłam. Wynajęłam piękne stare mieszkanie z widokiem na Stephanskirche.

A teraz jeszcze ten film.

Duża, międzynarodowa produkcja. Reżyser, Amerykanin, młody, trochę narwany i bardzo przejęty, gdyż miał to być jego pierwszy fabularny obraz. Kręcić mieliśmy przez dwa wakacyjne miesiące. Ponieważ w Operze były urlopy, wynajęto nam tam wielką, pustą teraz salę prób, gdzie umieścił się nasz sztab. W Operze znajdowały się też warsztaty i magazyny kostiumów, w których czułam się jak w domu. Wszystko więc układało się wprost cudownie. Tylko upał nie chciał zelżeć, nawet przybierał na sile.

W operowym holu panował na szczęście miły marmurowy chłodek. Zaraz na schodach wpadłam na asystentkę reżysera.

— Wrócił, wyobraź sobie — wrócił i przywiózł gwiazdę — zawołała do mnie przejęta, potrząsając krótko obciętą ciemną czupryną.

Chodziło o naszego reżysera, który do tej pory nie mógł znaleźć kandydatki do głównej roli — choć oczywiście cała pozostała obsada została ustalona już dawno. Tylko tej dziewczyny brakowało — miała nazywać się Julia, miała być młoda, uwodzicielska, oczarowywać wszystkich — i jeszcze musiała być tancerką. Nasz Amerykanin całymi tygodniami przyglądał się dziesiątkom dziewcząt — żadna nie była tą. Wreszcie któregoś dnia wsiadł w samolot i poleciał do Paryża. I tam ją znalazł.

— Wyobraź sobie, spotkałem ją zaraz pierwszego dnia — opowiadał podekscytowany, kiedy zebraliśmy się w sali prób. — Zobaczysz, jaka jest cudowna, piękna, nadzwyczajna... i naprawdę ma na imię Julia. Tylko, błagam, zaopiekuj się nią trochę — ja jestem teraz tak strasznie zajęty. Zajmij się nią jak mama dzieckiem — ty to potrafisz! — rzucił jeszcze przez ramię. Jak już powiedziałam, był narwany, a także dosyć bezczelny.

46

Siedziała w saloniku na fotelu, z nogami prze-
wieszonymi przez poręcz. Szczupła, ubrana w cien-
ki niebieski sweter i wąskie spodnie. Bez żadnej
biżuterii — nie miała nawet zegarka. Tylko na
podłodze leżała rzucona niedbale ogromna torba-
-worek od Louis Vuittona, chyba dziesięć razy
droższa od wszystkiego, co dziewczyna miała na
sobie.

Siedziałyśmy potem długo — gadałyśmy o byle
czym, a ja mogłam się jej dobrze przyjrzeć. Bardzo młoda — miała nie więcej niż dziewiętnaście
lat — i blada. Nie byłam pewna, czy rzeczywiście
każdy musiałby się od razu zakochać w takim ob-
łoczku. Ale była rzeczywiście piękna — wielkie
szare oczy, twarz o delikatnie rzeźbionych rysach,
długie włosy koloru miodu... i miała figurę model-
ki — o moje kostiumy, zaprojektowane przecież
dużo wcześniej, mogłam się już nie martwić. Wydała mi się tylko jakoś ponad miarę nerwowa, roztrzęsiona. Paliła papierosa za papierosem, drżały
jej ręce, stale pytała o godzinę. Rozumiałam, że
może to być trema z powodu poważnego debiu-
tu. Ale jak sama mówiła, coś już gdzieś tam grała,
wiedziała, czym jest film.

Jakiś czas później odnalazł się reżyser. Wpadł
zabrać ją na kolację i przy okazji szczegółowo
wprowadzić w rolę. Na pożegnanie dałam jej moją
wizytówkę z domowym numerem telefonu.

— Jeśli będzie pani miała jeszcze jakieś pytania w sprawie kostiumów, albo tak w ogóle — proszę dzwonić w dzień lub w nocy — powiedziałam. Chciałam być miła.

W domu zabrałam się przede wszystkim do porządkowania rzeczy mojego dziecka, porozrzucanych podczas pakowania w straszliwym chaosie. Buty, koszulki, książki. Zajęło mi to cały wieczór... i nie całkiem się udało. Co chwilę przysiadałam z jego sweterkiem w dłoniach, aby przypomnieć sobie znajomy zapach...

Późnym wieczorem, zbuntowana przeciw tęsknocie — postanowiłam być dobra dla siebie. Nastawiłam łagodną muzykę, zrobiłam sobie kąpiel, ponakładałam różne kremy i maseczki. Wreszcie, w ulubionym miękkim różowym szlafroku, wyciągnęłam się na kanapie z książką w ręku.

Przysypiałam już, gdy rozległ się dzwonek do drzwi. Nie lubię nagłych dzwonków, szczególnie w nocy. Nie otwierać — postanowiłam w pierwszej chwili. Otworzyłam jednak — tak szybko, że zapomniałam nawet zetrzeć z twarzy maseczkę.

Stała na schodach, ubrana tak samo jak przedtem w spodnie i niebieski sweter — z tym swoim niedorzecznie drogim workiem u stóp.

— Nie mogę mieszkać w tym hotelu, przepraszam, może zna pani jakiś inny hotel — ja nie mogę tam mieszkać... — nie było to nawet całe zdanie, tylko pojedyncze, nie poukładane słowa.

— Wejdź, proszę — nie będziemy rozmawiały na schodach — uznałam, że nadszedł czas, abyśmy przeszły na „ty".

Siedziała potem na mojej kanapie. Była jeszcze bardziej roztrzęsiona niż po południu. Drżały jej nie tylko ręce, ale i usta, oczy miała zaczerwienione. Zrobiłam jej herbatę. Siedziała, popijając małymi łykami, szczupłe palce obejmowały filiżankę — widziałam, że powoli się uspokaja — ale wiedziałam także, że już się wstydzi tego nocnego najścia. I że prawdopodobnie nie dowiem się, o co w tym wszystkim chodzi.

— Czy coś się stało? — spytałam tylko.

— Nie, nic zupełnie. Po prostu nie chcę spać w tym hotelu, nie mogę. Tam jest niedobra atmosfera... gdyby można było znaleźć inny... — W jej głosie nie było już napięcia. — Przyszłam, bo pani była taka miła dla mnie — jedyny człowiek w całej tej zwariowanej ekipie. No i miałam tę wizytówkę...

Siedziała przede mną — szczupła, nerwowa, paliła papierosy, których zapachu nie znoszę. Była już dwunasta.

— Chcesz zostać tutaj na noc? Rano na pewno wszystko się ułoży.

Chciała.

Wyszłam po pościel dla niej, a kiedy wróciłam, spała już zwinięta na kanapie, z głową opartą na łokciu. Przykryłam ją kocem, wsunęłam poduszkę pod głowę — od biedy mogłaby być moją córką — pomyślałam sobie.

Rano obudziła mnie krzątanina w kuchni. Pachniało kawą.

— Obudziłam się wcześnie — nie wiedziałam, co lubisz — bułki czy croissanty. Kupiłam i jedno, i drugie.

Siedziała na kuchennym stole, popijała kawę i wesoło machała długimi nogami. Obok niej leżała torba z pieczywem.

Nie lubię jeść na śniadanie bułek ani tłustych rożków, a nawet gdybym lubiła — nie czynię tego ze względu na linię. Nie lubię też, gdy ktoś siedzi rano na moim kuchennym stole i macha nogami — szczególnie zanim wypiję pierwszą kawę. Ale nie było już i tak na nic czasu.

Następnego dnia zaczynały się zdjęcia. Miałam jeszcze mnóstwo pracy — ona zresztą też. Odwiozłam więc tylko gwiazdę do hotelu — i oddałam w ręce naszej asystentki reżysera. Wychodząc przez wielkie szklane drzwi, zderzyłam się prawie z wysokim, długowłosym facetem w czarnej skórzanej kurtce. Nie wiedziałam, dlaczego obrzucił mnie ciężkim, pełnym wrogości spojrzeniem.

Julię zobaczyłam dopiero następnego dnia na planie. Umalowana i ubrana do zdjęć, z włosami upiętymi wysoko, wydała mi się jeszcze ładniejsza, a przy tym spokojniejsza i jakby bardziej dorosła. Błękitna szyfonowa sukienka, którą zaprojektowałam w ciemno — okazała się jak dla niej stworzona. Kręciliśmy w nicejskim parku. Była to scena, kiedy Julia opowiada swoim dwóm przyjaciółkom o chłopaku, którego poznała poprzedniego wieczoru — uświadamia sobie nagle, że już jest w nim zakochana...

Stały wszystkie trzy na polance wśród drzew — w złotych, ukośnych promieniach sierpniowego słońca.

— Dobrze — reżyser klasnął w dłonie — bardzo dobrze, dziękuję. Wracajcie.

Wracały roześmiane. Julia szła pierwsza — tamte za nią.

Wtedy padł strzał — usłyszałam tylko lekkie puknięcie. Przez kilkanaście chyba sekund nie rozumiałam jeszcze, co się stało, dlaczego Julia leży na trawie, dlaczego reżyser nerwowo macha rękami i wszystkich od niej odsuwa.

Aż zobaczyłam cienką strużkę krwi na niebieskiej sukience. A potem ktoś pobiegł do telefonu... Nie, nie jest to początek powieści kryminalnej. A ja nie byłam sławną kobietą detektywem. Nikt też, chwała Bogu, nie oskarżył mnie o udział w morderstwie.

Znaleziono go już po kilku godzinach — były narzeczony, podobno zazdrosny, podobno niezrównoważony psychicznie. Przyjechał za nią do Wiednia. Kłócili się.

Julia nie umarła. Miała uszkodzone płuco, spędziła kilkanaście dni w szpitalu — potem wróciła do Paryża. Dlaczego wybrał sobie ten dzień, takie miejsce? W gruncie rzeczy nie było to aż tak głupie. W parku znajdowało się wielu ludzi — łatwo było się tam dostać i łatwo było uciec. A w ekipie filmowej — każdy zajęty swoimi sprawami, nikt i tak nie zwraca na nikogo uwagi. A może po prostu chciał znaleźć się choćby na chwilę w blasku reflektorów, tak jak ona?

Zgarnięto go jeszcze tej samej nocy na dworcu, kiedy wsiadał do paryskiego pociągu.

Prace nad filmem przerwano i nie wznowiono ich już więcej — nie tylko z powodu wypadku. Także i dlatego, że producentowi przez ten czas zabrakło pieniędzy.

A ja? Ja byłam szczęśliwa, kiedy dwa tygodnie później zobaczyłam mojego syna — gramolącego się z autobusu z nie dopiętym plecakiem, z którego wysypywały się rzeczy.

Był brudny, ubranie miał zmięte — ale był opalony, jego włosy stały się jeszcze jaśniejsze niż przedtem, a w niebieskich oczach błyszczały radosne iskierki. I tak strasznie wydoroślał…

Dziś, po latach, zdarza mi się czasem w chwilach depresji, szczególnie kiedy coś mi się akurat nie bardzo układa, że zastanawiam się nad całym swoim życiem — nad tym, ile było w nim zmarnowanych szans, niedopatrzeń, porażek i ile było w tym mojej winy.

Przypominam sobie wtedy także tę noc, kiedy przyszła do mnie Julia. Zastanawiam się, co zaniedbałam. I czy mogłam wtedy coś zrobić, aby zmienić bieg wydarzeń.

O szczęściu

Kocham się w pewnej pani... choć to może niewłaściwe słowo. A właściwie dlaczego nie? Kocham! Piękne słowo i nie warto redukować go tylko do erotyki.

Może łatwiej powiedzieć: jestem zauroczona, ale ja wolę mówić: zakochana. Tym bardziej że owa pani nie jest jedynym obiektem moich wzruszeń, bo kocham się często w kilku wspaniałych osobach naraz. Kocham je tym więcej, im bardziej nieśmiało i z rezerwą odnoszę się do innych. Kocham więc pewną skrzypaczkę, która ma lat siedemdziesiąt siedem, koncertuje, jeździ po świecie — nigdy na nic się nie skarży i nie narzeka. Rozmowa z nią zawsze mnie mobilizuje i podnosi na duchu, tak samo prawie jak jej muzyka. Kocham się ostatnio także w pewnym panu — wprawdzie platonicznie, ale już niebezpiecznie na granicy erotyki, więc może o panu innym razem...

I jest właśnie pani Alina. Podoba mi się w niej wszystko: urzekający, miękki głos, prawdziwie złote włosy... wydaje mi się zawsze, że ludzie o blond włosach noszą w nich promienie słońca — podczas kiedy my, ciemnowłosi, chowamy w sobie mrok.

Pani Ala ładnie się ubiera, mądrze mówi i pięknie się uśmiecha. Zobaczyłam ją pierwszy raz w telewizji i już wiedziałam, że jest niezwykła, a potem połączyły nas sprawy zawodowe. Ostatnio znów spotkałyśmy się zawodowo — a ja starałam się nieźle wyglądać i nie powiedzieć nic głupiego. Pani Ala należy bowiem do ludzi, którzy umieją mnie porywać i zmieniać — tak, istnieją ludzie, wobec których staramy się zawsze dobrze wypaść i choćby o parę centymetrów urosnąć.

Kiedy spotykam panią Alę, zdaje mi się czasem, że przybywa mi tych centymetrów chyba z dziesięć — i jest to swoisty stretching duchowy. Siedziałyśmy więc sobie i rozmawiałyśmy czysto zawodowo — aż nagle moja rozmówczyni zamilkła na chwilę i ogarnęła mnie błękitnym spojrzeniem.

— Pani Romo, chciałam pani zadać pytanie, którego nie zadałam nigdy nikomu — powiedziała. — Chciałam zapytać, czym dla pani jest szczęście?

Nie odpowiedziałam od razu — zabrakło mi powietrza, i to nie dlatego, że nie znalazłam wła-

ściwych słów. Było ich we mnie za dużo i wszystkie naraz chciały być wypowiedziane. Szczęście!
Ktoś z takim jak ja dzieciństwem, kobieta, której
późniejsze życie nie szczędziło zawirowań, klęsk
i rozczarowań — o czym miałaby myśleć, za czym
nieustannie tęsknić, jak nie za tym, co potocznie
nazywamy szczęściem…

— Co dla pani jest szczęściem, pani Romo?

Szczęście dla mnie to brak lęku. Jest taki wiersz
Tuwima: „Za tych, którzy wracają z bijącym sercem do domu, za tych, co śmierci się boją… mo-
dlę się, Boże, żarliwie". Więc właśnie. Móc przez
chwilę nie bać się śmierci, choroby, biedy. Nie bać
się zdrady, kłamstwa, utraty pracy. Nie lękać się
o dziecko, męża, matkę.

Dla mnie szczęście jest przelotnym, krótko-
trwałym przypływem siły i odwagi. „Pieniądze
szczęścia nie dają" — mówią ci, którzy albo ich
nie mają, albo przeciwnie — mają ich o wiele za
dużo. Ale przecież kiedy nie jesteśmy głodni, nie
marzniemy, mamy dach nad głową i nie boimy się
komornika — czyż nie jest to stan bardzo jednak
do szczęścia zbliżony? Szczęścia nikt ani nic dać
nam nie może. Szczęście bierzemy sobie sami,
odnajdujemy je w sobie i pewnie tak być musi —
bo szczęście utkane jest z cieniutkiej, „motylej"
tkaniny.

Na pewno więc szczęściem nie jest miłość.
Widzę, jak patrzycie na mnie zgorszeni! Miłość?!

Otóż tak! Wszystkim jest ona być może niezbędna jak powietrze — ale nigdy lub prawie nigdy nie jest szczęściem. Miłość — ta dziwna mieszanina namiętności i lęku, pokory i szaleństwa...

Tylko ten, kto nigdy nie niepokoił się o ukochanego, nie czekał na telefon, nie pędził z chorym dzieckiem do lekarza — może powiedzieć, że miłość jest szczęściem. Zgodzę się, że czasem bywa. Tylko bywa... A ja, pani Alu, ciągle myślę o naszej rozmowie i nie wiem, czy odpowiedziałam pani najlepiej, jak potrafiłam. Więc jeszcze opowiem o pewnym epizodzie z mojego życia.

Niepokoiłam się wtedy o mojego syna. Był przepracowany, miał jakieś turbulencje w życiu zawodowym. Nie mogłam mu pomóc. Ale udało mi się — zaprosiłam go na krótkie wakacje. Siedzieliśmy na plaży w hotelowym barku, pod wiklinowym daszkiem, przez który delikatnie przeświecało słońce. Po jednej stronie, aż po horyzont, nie kończące się morze, po drugiej zielono i srebrno połyskująca woda w basenie. Mój syn porzucił na ten czas garnitur i krawat, siedział w szortach, niebieskiej płóciennej czapce i czytał książkę. A ja popijałam kolorowy napój nie pozbawiony alkoholu i patrzyłam na niego. Widziałam kosmyk włosów, który wymykał mu się spod czapki. Patrzyłam na męski profil, na cień zarostu i na ciągle jeszcze dziecięce, długie rzęsy. W myślach oglądałam stare zdjęcia ze wszystkich wspólnie spędzonych z nim wakacji — kiedy był mały, a potem coraz większy. Widziałam, że w tej chwili nic złego się nie dzieje — nie musiałam teraz bać się o niego ani troszczyć. I to, pani Alu, było szczęście. I to — we wspomnieniu — ciągle jeszcze jest szczęście.

Sycylia, Sycylia

Było to niedługo po ukazaniu się we Włoszech mojej książki *La bambina col capotto rosso*. Napisała do mnie Antonella z Sycylii. Był to jeden z tych miłych, serdecznych listów od czytelników, które tak uwielbiam dostawać, ale niestety często brak mi sił, aby na nie odpowiadać. Ten napisany był po niemiecku, okrągłym, szkolnym pismem. „Płakałam nad Pani książką — pisała Antonella — wydała mi się Pani bliska jak siostra. Ja oczywiście jestem młodsza, mam dopiero 39 lat. Znam wiele miejsc, które Pani opisuje. Jako młoda dziewczyna mieszkałam z rodzicami w Niemczech, chodziłam tam do szkoły, miałam koleżanki… Tuż przed moją maturą rodzice zdecydowali się jednak wrócić na Sycylię. Tu wyszłam za mąż, mam syna.

A teraz pracuję w hotelu. Pani książka poruszyła coś w moim sercu, nie umiem nawet tego wytłumaczyć…”.

Spodobał mi się list Antonelli, odpowiedziałam nieco obszerniej niż zwykle. Potem znów napisała ona. Czytałam jej list — znane mi już dziecinne pismo, i wyobrażałam sobie, że pisze go szczupła, ciemnowłosa kobieta, z dużymi, smutnymi oczami. Wydawała się nie bardzo zadowolona ze swojego życia, ale jakoś z nim pogodzona.

„Tutaj jest naprawdę ładnie — mały hotel nad samym morzem, niedaleko Taorminy. Mamy miłych gości. Gdyby Pani kiedyś miała ochotę...".

Oczywiście, że miałam ochotę!

Na Sycylii byłam dawno temu, przelotnie. Miałam wtedy bardzo mało pieniędzy, niewiele więc zobaczyłam i nieraz obiecywałam sobie, że tam wrócę. Teraz była ku temu okazja.

Minęło jednak trochę czasu, wymieniłyśmy kilka listów, karteczki na Boże Narodzenie i Wielkanoc... W końcu postanowiłam pojechać. Zadzwoniłam. Antonella miała miły głos, mówiła po niemiecku z zabawnym włoskim akcentem.

— Podobno u was właśnie wybuchła Etna — pytałam pełna wątpliwości — wszystko zalane jest lawą. Tak piszą gazety. Może lepiej nie przyjeżdżać?

— Proszę nie wierzyć prasie, signora — zaśmiała się moja rozmówczyni — i przyjeżdżać.

— A co przywieźć z Niemiec, Antonello? — wypadało zapytać.

— Ciemny chleb i pasztetówkę — padła natychmiast krótka i zdecydowana odpowiedź.

Zapakowałam więc kilka puszek dobrej niemieckiej pasztetówki o różnych smakach i ciemny chleb — także w puszce, aby wytrzymał podróż.

W recepcji hotelowej siedzi mocno korpulentna kobieta w grubych okularach, w jej ciemnych włosach pokazują się pierwsze pasemka siwizny.

— Antonella?

— Si.

Podnosi się na mój widok, otwiera szeroko ramiona. Natychmiast zostaję otoczona jej czułą opieką — jakbym była długo oczekiwanym członkiem rodziny. Dostaję najładniejszy pokój, kawę, owoce. Wieczorem, jak wszyscy tutaj — miejscowi i turyści — spaceruję nadmorskim bulwarem. Wśród mieszaniny wielu języków wychwytuję także znajome dźwięki polskich słów.

Jeszcze tego samego wieczoru poznaję młodą Polkę z dzieckiem. Zwróciła moją uwagę niecodzienną urodą.

Wysoka, niebieskooka blondynka. Opalona. Wbrew pozorom nie jest turystką. Wyszła za Włocha i mieszka tu na stałe.

— Przepięknie tu u was — obejmuję szerokim gestem całe te nadmorskie wspaniałości — niebo, palmy, plażę.

Blondynka wzrusza ramionami:

— Powiem pani prawdę — tu jest po prostu nudno — wznosi oczy do nieba z miną męczennicy. — Wstaję rano i marzę o tym, żeby już był wieczór. Latem na dwa tygodnie przyjeżdża moja mama, a na święta my jedziemy do niej. Żyję właściwie czekaniem na te dwa wydarzenia.

Kiedy spotykam ją następnego wieczoru, wysłuchuję kolejnej porcji narzekań. Słucham ich już z pewną niecierpliwością, ale ona zdaje się tego nie zauważać. Od trzeciego wieczoru uciekam na jej widok. Z Antonellą rozmawiam w jej wolnych godzinach. Pracuje, jak wszyscy tutaj w sezonie — od rana do wieczora.

Kiedy ma czas, a ja nie oddaję się akurat którejś z urlopowych powinności — siadamy sobie w cienistym hotelowym patio przy kieliszku wina. Wiem, że jestem dla niej przybyszem z zupełnie innego świata. Pewnie chciałaby się ode mnie dowiedzieć czegoś jeszcze bardziej osobistego, niż zapisane jest w książce. Ale ja nigdy nie opowiadam więcej, niż piszę. Potem opowiada ona.

Okazuje się osobą rozsądną, wrażliwą i z poczuciem humoru, mimo że „po przejściach”.

— Dobrze mi było w tych Niemczech, obco, ale dobrze — wspomina. — Uczyłam się chętnie, miałam właśnie zdawać maturę, chciałam studiować... Ale rodzice zdecydowali inaczej. Źle się tam czuli, szczególnie ojciec. Był rybakiem, przyzwyczajonym do morza, przestrzeni — tam pracował na budowie. Dziś już nie żyje. Wróciliśmy. Wiesz — dodaje po kolejnym kieliszku wina — oni tu mieli już upatrzonego dla mnie narzeczonego... Myślę, że dlatego wrócili — obawiali się, że zechcę wyjść za mąż za Niemca...

— No i co z tym narzeczonym? — pytam.

— No i nic. Wyszłam za niego — śmieje się Antonella. Myślę, że trochę wstydzi się za swoich rodziców, ale jednocześnie jest z nich dumna. To bardzo dobry człowiek, ten mój mąż. Jesteśmy razem już dziewiętnaście lat. Teraz niestety od kilku miesięcy leży w sanatorium, ma coś z kręgosłupem...

Nasze rozmowy zwykle przerywane są pojawieniem się innych gości. Umawiamy się, że kiedyś, kiedy Antonella będzie miała wolne — odwiedzę ją w domu i poznam jej rodzinę. Mieszka w małym miasteczku oddalonym o godzinę jazdy samochodem.

Mam cichą nadzieję, że do tej wizyty nigdy nie dojdzie — panuje ponadtrzydziestostopniowy upał i leniwe, plażowe życie zupełnie mi wystarcza. Ona także na razie nie ma czasu — kiedy mijam ją w recepcji, pochyloną nad papierami, rozkłada tylko ręce — „dziś nie" — mówi — „może jutro, domani?"

Ale któregoś dnia już z daleka widzę machające do mnie tłuściutkie ręce Antonelli. Na mój widok unosi się z miejsca. — Jutro — powiada — jesteś zaproszona do mojej rodziny.

Mówi to tak uroczystym tonem, że w pierwszej chwili wydaje mi się, iż okazją jest czyjś ślub czy imieniny. Ale nie, zwykły rodzinny obiadek.

Następnego dnia w samo południe pakujemy się do małego żółtego fiata. Wydaje się, że tego dnia jest jeszcze goręcej niż zwykle — temperatura w samochodzie dochodzi do stanu wrzenia, a ja z melancholią myślę o moim chłodnym pokoju. Ale już nie ma odwrotu.

Jedziemy zakurzoną, pustą drogą — mijamy jakieś garaże, magazyny. Wszystko przypomina trochę handlowe przedmieście Krakowa, tylko bardziej spopielałe jest od upału.

Wiedziałam już wtedy, że Sycylia to nie zawsze bajkowe pejzaże, jak z pocztówki, że wyspa ma też oblicze groźne i ponure. Niektóre jej miasta i miasteczka wyglądają, jakby z niechęcią odwróciły się od morza, które przed laty przynosiło tylko najeźdźców. Przez taką Sycylię jedziemy.

Nie wiem, jak wyobrażałam sobie po drodze miasteczko Antonelli — chyba jednak jakieś romantyczne białe domki jak z pocztówki, obrośnięte kwiatami, z fontanną pośrodku cienistego dziedzińca.

Po godzinie, kiedy zbliżamy się do celu, widzę osiedle kamiennych, jednakowych, dość nowych domów. Umieszczone są po obu stronach drogi, która w jakimś momencie przechodzi w ulicę z kilkunastoma sklepami i restauracjami, zamkniętymi teraz na głucho.

Dom Antonelli wygląda tak jak inne. Na górze czeka już cała rodzina: mamma, podobna do córki, trochę tylko starsza i grubsza — ubrana w czerwoną suknię i niebieski fartuszek, i młodsza siostra, także prawie identyczna — tyle że młodsza i szczuplejsza. Są jeszcze dwaj młodzi mężczyźni, prawie w jednym wieku. To syn Antonelli oraz jej brat. Do końca nie zorientowałam się, który jest który. Jest jeszcze mały piesek.

Przed obiadem zwiedzam całe, na szczęście niewielkie mieszkanie. Trzy sypialnie — w każdej olbrzymie łóżko przykryte atłasową pikowaną kapą, na każdym duża lalka w koronkowej krynolinie. Jest też coś w rodzaju saloniku z ciemnymi, połyskującymi meblami i olbrzymim telewizorem. Na dużym zdjęciu mężczyzna z gładko przyczesanymi ciemnymi włosami — ojciec rodziny. Dowiaduję się, że zginął na morzu. Nie, nie utonął w czasie burzy — zmarł na serce, o świcie, kiedy jego łódź wpływała już do portu.

Muszę jeszcze tylko obejrzeć album ślubnych zdjęć Antonelli, po czym siadamy w kuchni do stołu. Oczywiście że opowiem, co było na obiad. Sama jestem wielce rozczarowana, kiedy w książce, którą czytam, taki opis zostaje pominięty.

A więc na początek były świeże sardynki sma-
żone z czosnkiem. Potem wjechały wielkie półmi-
ski spaghetti Scarabeo — tutejszej specjalności,
nazywanej tak, ponieważ pokrojone kawałki ba-
kłażana, polane oliwą, mienią się w nim tęczowo,
jak pancerz skarabeusza. Jako główne danie także
tutejszy klasyk: nadziewane kalmary, duma go-
spodyni. Mnie przypominały trochę nadziewaną
gęsią szyjkę, podawaną w żydowskiej restauracji
w Krakowie.

Były jeszcze jakieś egzotyczne jarzyny, owoce.
Kawa. Nigdy nie zapomnę zręcznych rąk mammy,
które z cudowną szybkością i precyzją napełniały
mały ekspresik, zakręcały go — codzienny piękny
rytuał, doprowadzony do perfekcji.

Siedziałam między Antonellą a jej ciotką —
trochę senna, odurzona jedzeniem i winem —
i właściwie żal mi było stąd odjeżdżać. Ogarnęło
mnie tak rzadkie u mnie poczucie bezpieczeństwa
i błogości.

Ale może już wypadało się pożegnać?

Wtedy padło pytanie: czy chciałabym jeszcze
coś obejrzeć w ich miejscowości? Spłoszyłam się.
Plaża, którą dojrzałam kątem oka po drodze, wydawała się wąska i zaniedbana, dużo gorsza od
mojej hotelowej. Kościół — nie widziałam kościo-
ła — pewnie był gdzieś daleko... Wiem! Buty. Na
Sycylii łatwo znaleźć ładne i niedrogie — i tak
chciałam sobie jakieś kupić. Jeśli koniecznie chcą

mi coś pokazać, niech to będzie sklep z butami. Moja decyzja wywołała spontaniczną i nie całkiem dla mnie zrozumiałą radość całej rodziny. Antonella natychmiast sięgnęła po swoje telefonino (komórka).

Okazało się, że najlepszy w mieście i najelegantszy sklep z butami należał do ich kuzyna, który to kuzyn, obudzony telefonem i wyrwany z popołudniowej sjesty, natychmiast zgodził się lokal otworzyć.

Udaliśmy się więc w drogę — ale nie, nie tylko Antonella i ja. Poszli wszyscy: mamma, Antonella, jej siostra i obaj mężczyźni. Tylko pies został u sąsiadów.

W sklepie rozsiedli się wygodnie na krzesłach, a ja zabrałam się do przymierzania. Czy muszę dodawać, że buty były dość brzydkie, na wysokich obcasach, sztywne i twarde? Rozczochrany, zaspany sprzedawca dwoił się i troił, a ja mierzyłam coraz to inną parę. Cała zaś rodzina śledziła nasze zapasy, odwracając głowy to w jedną, to w drugą stronę, jak na meczu tenisowym. „No piace" — wzdychali — „no piace!" Nie podobają się! W rozpaczy porwałam wreszcie pierwsze lepsze płaskie klapki, zapłaciłam — mecz był skończony.

Wracaliśmy rozgrzaną ulicą — przed zamkniętymi ciągle jeszcze sklepami leniwie wygrzewały się koty.

Na pożegnanie ustawili się przed samochodem, jak do fotografii: mamma w czarnej chustce, Antonella, jej szczupła siostra, syn i brat. I tak pozostali w mojej pamięci.

Dziś, kiedy myślę o Sycylii, widzę ich wyraźniej niż niebieskie morze czy księżyc nad Taorminą.

Dobrzy, zwyczajni, życzliwi ludzie. Przychodzi mi wtedy do głowy myśl — pewnie naiwna, ale zachwycająca: co by było, gdyby nasz świat składał się z samych takich jak oni?

Być jak drzewo

Mój przyjaciel, Polak mieszkający za granicą, postanowił odwiedzić mnie w Krakowie. Przyjechał z daleka, dawno go nie widziałam i cieszyłam się na to spotkanie. Chciałam mu też pokazać Kraków, którego prawie nie znał. Ja, jak każdy rodowity krakowianin, bardzo się zawsze taką misją przejmuję. Miało być przyjemnie, wesoło, no i w końcu było — tyle że w pewnym momencie pokłóciliśmy się dosyć gwałtownie. Kłótnia na szczęście szybko przygasła, udało nam się wyjaśnić poglądy, ale część wątpliwości pozostała. I dlatego dziś do tego wracam.

Tego wieczoru mieliśmy w planie piękną restaurację — ważny punkt programu, bo czymże by było zwiedzanie bez kulinariów? Gospoda ta, w stylu wiejskiej karczmy, na obrzeżach miasta, słynna jest z ogromnego, wiecznie płonącego kominka oraz z wielkiej ilości podawanego mięsiwa.

Było zimno, padał deszcz, a mój gość dotąd w Krakowie tylko marzł, cieszyłam się więc, że usadzę go przed kominkiem i postawię przed nim misę pierogów. Ale zapomniałam, niestety, w owym przybytku obfitości zamówić stolik. Już w taksówce ogarnęły mnie wątpliwości: jest zimny wieczór, wszyscy krakowianie oraz ich goście wpadli pewnie na ten sam pomysł co my — i oczywiście dla nas nie będzie już miejsca.

Oczami wyobraźni widziałam nas odprawiających taksówkę, a potem samych odprawionych z kwitkiem — stojących bezradnie, dyskutujących, dokąd teraz się udać. Tak się tą wizją przejęłam, że aż wzięłam ją za rzeczywistość. A potem oczywiście wszystko było inaczej: dostaliśmy stolik tak blisko kominka, że prawie osmoliły się nam włosy, mięsiwa i wina także nie zabrakło.

Dopiero w drodze powrotnej mój przyjaciel niechcący rzucił uwagę, która sprowokowała kłótnię.

— No widzisz — powiedział. — Tak się martwiłaś, a wszystko było dobrze. Naprawdę czasem cię nie rozumiem: jedziemy do fajnej restauracji, a ty zamartwiasz się, zamiast się cieszyć na miły wieczór. Jak można być taką pesymistką? To czysta strata energii.

Oburzyłam się. Broniłam się — pewnie nie tak, jak bym chciała, bo byłam wściekła. Całą noc potem o tym myślałam. Ja pesymistką? Dopiero na drugi dzień przy śniadaniu i po drugiej kawie odpowiedziałam:

— Widzisz, mój przyjacielu, uważam, że podział ludzi na pesymistów i optymistów jest głupi i sztywny. To są pojęcia absolutnie do niczego nie przystające, a więc i bezwartościowe. Ten sam człowiek bywa w pewnych okolicznościach optymistą — w innych wręcz przeciwnie. Zależy to od jego doświadczeń, urazów, aktualnego stanu ducha — czasem od pogody nawet. Istnieje natomiast coś takiego jak postawa człowieka wobec rzeczywistości, sposób na jej oswajanie. Każdy wypracowuje własne metody radzenia sobie z przeciwnościami losu, z jego niespodziankami. Ogólnie rzecz biorąc, takich postaw może być kilka — ja znam trzy.

Pierwszy sposób, ten, który ja preferuję, pewnie najbardziej męczący dla samego delikwenta, a także jego otoczenia, polega na tym, aby nigdy nie dać się losowi zaskoczyć. Aby przewidzieć najgorszą sytuację, być przygotowanym na każdą ewentualność. Po prostu martwić się, czyli wyobrażać sobie zawsze wszystko, co może się stać. Ponieważ mogę się poślizgnąć, to lepiej od razu usiądę na ziemi. Jeśli los mi tak, to ja mu tak. Nie dam się — muszę się zbroić!

Drugi sposób na życie to postawa czułego marzyciela — uśmiechać się do losu przyjaźnie, ufać mu. Przebłagać go pozytywnym oczekiwaniem. „Losie — mówią tacy ludzie. — Wiem, że jesteś dobry, nigdy w ciebie nie wątpię. Nie chcę cię urazić złymi przewidywaniami. Wiem, że mi dasz wszystko — wygram w totka, będę królem. Nigdy nie myślę, że jesteś zły i niesprawiedliwy, ależ skąd! A gdybyś przypadkiem takim się okazał — no to w końcu jakoś będzie, bo jakoś zawsze jest".

Trudna do osiągnięcia, niecodzienna i rzadko spotykana jest trzecia postawa. Prawdę mówiąc, znam tylko jedną osobę, która z powodzeniem ją praktykuje. Owa kobieta mówi: „Kiedy mam zbyt wiele kłopotów, staram się być jak drzewo. Nie myśleć, nie czuć, nie uciekać. Trzymać się mocno korzeniami ziemi, oddychać, machać listkami. Pozwolić kłopotom podejść całkiem blisko i dopiero gdy mnie dotkną, wtedy im się przyjrzeć. Być może część z nich odpadnie po drodze i wcale do mnie nie dotrze? A te pozostałe może nie będą takie straszne?".

Wiem, trzeba być bardzo umocnionym w sobie, trzeba mieć mocne korzenie i grubą skórę, aby się na to zdobyć. No i trzeba wykonać wielką pracę nad sobą, aby taka postawa stała się nasza. Ale pozwólmy każdemu walczyć z losem tak, jak potrafi. Podobno Winston Churchill pod koniec życia zwykł mawiać: „Ze wszystkich zmartwień, którymi trapiłem się w przeszłości, ponad dziewięćdziesiąt procent było niepotrzebnych". A ja?

Ja już na zawsze pozostanę małym żołnierzykiem, który boi się zbliżyć do ognia, bo wie, że jest tylko papierowy.

Wściekłość na schodach

Ulica Floriańska w Krakowie przepełniona jest tabunami dwudziestolatków, pewnie dlatego, że tu otwarto wiele sklepów z tak zwaną modą młodzieżową. Zawsze, kiedy się tu znajduję, zastanawiam się, dlaczego jedna z najpiękniejszych zabytkowych ulic starego Krakowa musi być najlepszym miejscem do sprzedawania taniej, mało potrzebnej, krzykliwej tandety. Choć może lepiej o tym nie myśleć — nie poddawać się uczuciu bezsilności i beznadziei. Może nie warto uświadamiać sobie, że na naszych oczach ginie jakaś część cywilizacji. Umiera zaduszona przez turystów Wenecja, a Kraków, który niczego się od niej nie nauczył, także powoli przygotowuje się do umierania. Przynajmniej ten Kraków, który jeszcze był normalnym miastem, a nie już tylko lunaparkiem.

Odganiam te myśli, jestem na ulicy Floriańskiej, wchodzę do sklepu z młodzieżowymi ubiorami, bo choć czasem ta młodzież mnie denerwuje, to kolorowe, wesołe ciuszki ciągle bardzo lubię.

Tuż za mną wcisnęła się do przepełnionego sklepu para kilkunastoletnich olbrzymów. Ona i on — oboje chyba o dwie głowy wyżsi ode mnie, głośni, rechoczący. Natychmiast odepchnęli mnie i przycisnęli do ściany — bo cóż ich taka starsza mróweczka może obchodzić — przy czym przez cały czas ponad moją głową trzymali się za ręce. Ale ja dość szybko gniewnie zaprotestowałam.

— Masz jakiś problem, ciociu? — zapytał dryblas.

A we mnie nagle się zagotowało. Przysunęłam się do faceta blisko, bliziusieńko, na taki dystans, kiedy to nawet twardziele czują się niezręcznie, wspięłam się na palce.

— Po pierwsze, kolego, nie jesteśmy na ty — powiedziałam głosem nieco zduszonym wściekłością, ale i tak mocnym i spokojnym. — I wiesz, gdybym miała być twoją ciotką, wolałabym od razu się zabić! Albo ciebie — dodałam ciszej.

Facet zaczerwienił się aż po kolczyk w nosie, dziewczyna zachichotała nerwowo. Po paru sekundach już ich w sklepie nie było.

Piszę o tym oczywiście nie po to, by opowiedzieć o moim dość łatwym triumfie nad tym, pewnie nigdy przez nikogo oprócz telewizora nie wychowywanym, młodym człowiekiem. Nie, ta historyjka cieszy mnie jedynie dlatego, że na chwilę przezwyciężyłam nieśmiałość, że gwałtowne negatywne uczucie, jak to zwykle bywa, nie odebrało mi mowy. Nie wstydziłam się dać wyrazu zwykłemu ludzkiemu oburzeniu. Zazwyczaj bowiem bywa inaczej. Najpierw zaczynamy się dusić z gniewu, gwałtownie oddychać, sapać, a dopiero po czasie, nieraz bardzo długim, przychodzi nam do głowy, że powinniśmy się byli bronić. I to jest właśnie to stare francuskie *esprit d'escalier*, co ja osobiście tłumaczę sobie jako „wściekłość na schodach". Bardzo męczące uczucie. Skąd się bierze?

W moim dzieciństwie mówiło się krótko: „Bądź grzeczna". Od początku uczono nas, małych: „Zamilcz", „Uspokój się, opanuj". Więc byliśmy grzeczni. Krzyczeć, tupać, rzucać się na ziemię — nie było wolno. Należało być grzecznym — zawsze. Nawet dziś, choć wszystko się zmieniło, jesteśmy wychowywani (jeżeli w ogóle wychowywani jesteśmy!) do grzeczności.

Opanowanie, uprzejmość, kontrolowane zachowania porządkują życie, są zdobyczą naszej cywilizacji. Nieokazywanie uczuć daje nam poczucie bezpieczeństwa, nie warto bowiem byle komu i byle gdzie demonstrować własnej słabości.

„Kto krzyczy, nie ma racji" — mówi się słusznie. „Mądry głupiemu..." — mówi się także. Trzymamy się więc, trzymamy fason, nie zdradzamy wzburzenia, liczymy do dziesięciu, do stu nawet — byle tylko nie wypaść z roli, byle publicznie czy prywatnie się nie zbłaźnić. Tylko dlaczego później tak często boli nas żołądek?

Wystarczy, że życie z jakichś powodów choćby na chwilę wyrzuci nas z zakrętu, i nie wiemy, jak się zachować. Kiedy i jak wiele wolno nam zdradzić, jak szeroko uchylić pokrywkę tego garnka gotujących się w nas emocji? „Głowa do góry!" — mówią znajomi. „Nie przejmuj się tak" — to jedno z ich ulubionych powiedzeń. Ma to nam przypomnieć, że, jak w dzieciństwie, powinniśmy być grzeczni — nie zawracać nikomu głowy, nie burzyć spokoju. Być miłym, nie obciążać nikogo tym, czym obciążany być nie chce. Znajomi, rodzina, nawet przechodnie na ulicy lubią nas uśmiechniętych i spokojnych. My sami także najbardziej siebie takich lubimy.

A więc dlaczego tak często boli nas żołądek? Albo serce, albo wątroba? Może dlatego, że nigdy nie wiemy, co, ile i kiedy nam wolno. Może więc lepiej uchylić pokrywkę tego garnka wtedy, gdy jeszcze para zeń nie bucha tak bardzo? Łatwiej popłakać sobie na piersi przyjaciółki, niż rozszlochać się w pracy na zebraniu. Wyjść z siebie bezpieczniej będzie na pewno wobec ludzi, którzy cierpliwie pozwolą nam wrócić. Miejmy więc takich w swoim otoczeniu. A zresztą: namiętność, miłość, ekstaza, czyż nie są także pewnego rodzaju utratą kontroli, wychodzeniem z ram? Może więc

zamiast „wściekać się na schodach", uda nam się
częściej „iść, skacząc po górach"...

Droga do nieba

Dla Basi

Lubię ludzi nieśmiałych. Zawsze mnie pociągali i w każdym towarzystwie instynktownie ich szukałam. W pracy to właśnie oni byli tymi, na których najbardziej można było polegać. Na większych przyjęciach często lubiłam wyszukać sobie uparcie milczącego pana, który kiedy już udało mi się wciągnąć go do rozmowy, przeważnie okazywał się ciekawym, nieraz wprost fascynującym interlokutorem. Dowiadywałam się więc czasem rzeczy niezwykłych i mądrych, takich, jakich nie dowiedziałabym się od zwykłych przyjęciowych gadaczy. Czasem, niestety, taki ciekawie milczący pan okazywał się zapoznanym poetą lub filozofem — ja zaś przez całe życie miałam zgubną skłonność do zakochiwania się w zapoznanych poetach.

Lubię ludzi spokojnych, milczących, nieefektownych, „niemedialnych" — jak by powiedziano dzisiaj. Umiem z nimi rozmawiać — wyzwalają we mnie często ciekawość czy przekorę, która sprawia, że mam ochotę sprowokować ich do mówienia, przekroczyć ową barierę, którą odgradzają się przed światem. Ludzie nieśmiali mówią — mówią nawet chętnie — ale tylko wtedy, kiedy są pewni, że mają coś do powiedzenia i kiedy czują, że są słuchani. A że mówią raczej cicho, trzeba się przy tym trochę nad nimi pochylić, ale ów trud przeważnie się opłaca.

Tego roku w czerwcu, w Krakowie na Kazimierzu, poznałam pewnego pana. Spotkanie było ekscytujące, bo znałam go już przedtem z występów publicznych i widziałam wielokrotnie. A teraz siedział naprzeciw mnie przy kawiarnianym stoliku — żywy, prawdziwy, czy może tylko jak żywy, i nawet krawat miał ten sam co kilka dni temu w telewizorze. Należał do ludzi, których tak dobrze znamy z widzenia, że już zatraca się granica między fantazją a rzeczywistością. I oto ten pan — nawet bardzo medialny — okazał się w prywatnej rozmowie spokojny, łagodny, mądry i może trochę, wbrew pełnionej przez siebie funkcji publicznej, nieśmiały. A może tylko bardzo dobrze wychowany? Bo nie wiem, czy zauważyliście, że ludzie, których uważamy za nieśmiałych, są czasem tylko dobrze wychowani. Nie krzyczą, nie opowiadają dowcipów, nie popisują się i nie chwalą. Po prostu są.

Rozmawialiśmy sobie o wszystkim po trochu — mówił ciekawie. Nie twierdził, że wszystko wie na pewno, zastanawiał się sam, czy ma rację, uważnie słuchał. Głos miał niski i łagodny, piękne dłonie, trochę zmęczone oczy... oj, zaczynało być niebezpiecznie! Być może także i pan podczas długiej rozmowy odruchowo zwrócił uwagę, że mam ładne nogi, oczy albo sukienkę, bo takie już jest myślenie mężczyzn, ale to na pewno było wszystko.

Ja natomiast już po chwili zaczęłam wyobrażać sobie wspólne z nim życie. Zastanawiałam się, jaki jest rano przy śniadaniu, jak milczy, popijając kawę — a może herbatę? — Nie, jednak kawę. Zastanawiałam się nawet — zupełna wariatka! — jakiej razem słuchalibyśmy muzyki.

Mój Boże, przecież on ma żonę i dzieci — uświadomiłam sobie w końcu. A mnie tak strasznie nie chciałoby się z tą żoną walczyć. I pewnie wcale bym już z nią nie wygrała. Wróciłam więc do rzeczywistości. Mrok zapadał nad Krakowem, migotały świeczki na stolikach kawiarni przed synagogą. Winko zostało wypite. Limit czasu, który dał mi los, abym w filmowym skrócie i tylko we własnej wyobraźni przeżyła romans z prawie nie znanym mi mężczyzną, został wyczerpany. A potem dwie taksówki uwiozły nas w różne strony miasta. Kiedy podaliśmy sobie dłonie na pożegnanie, usłyszałam jeszcze kilka miłych słów. Zastanawiałam się, czy naprawdę trochę mnie polubił, czy tylko po prostu już taki jest — grzeczny, uważny, serdeczny. Obejrzałam się raz jeszcze za nim, odpływającym w ciemną krakowską noc. „Błogosławieni cisi..." — pomyślałam melancholijnie.

Wróciłam do tych myśli już następnego dnia, kiedy spotkałam moją dawną szkolną koleżankę, jedyną, z którą przyjaźnię się do dziś. Wybrałam ją sobie wtedy z gromady hałaśliwych, rozwrzeszczanych dziewcząt w klasie. Była cicha, nieśmiała, małomówna. Była także mądra i wierna. Nie zawiodła mnie nigdy. Musiałam wtedy walczyć o jej zaufanie i przyjaźń. Ludzie nieśmiali są przecież także nieufni i sceptyczni. Dziś spotykam się z nią często, kiedy wracam z którejś z moich szalonych podróży. Nigdy nie zadaje żadnych pytań, wie, że i tak wszystko jej opowiem.

Jest jakaś ogromna powściągliwość w ludziach nieśmiałych — oni niczego już udawać nie muszą, są tylko tacy, jacy wszyscy jesteśmy naprawdę — bezbronni i nadzy. Więc myślę sobie, że jeżeli piekło wybrukowane jest krzykiem, próżnością i jazgotem udawaczy, to droga do nieba zarezerwowana być musi dla ludzi nieśmiałych. No bo czy można sobie wyobrazić bezczelnego anioła?

Dziewczyna
w białej bluzce

W pewnej redakcji, którą odwiedzam — siedzą dwie panie. Dziewczyny raczej. Z jedną z nich często współpracuję — wpadam więc do niej z przyczyn zawodowych, ale także dla przyjemności — żeby sobie pogadać. Lubię rozmawiać z młodymi dziewczynami, myślę, że są one w tej chwili najbardziej interesującą, żywą, dynamiczną częścią naszego społeczeństwa. Dzieje się tu coś nowego — bo kiedyś tacy byli głównie młodzi mężczyźni. Nic więc dziwnego, że owe dziewczyny zaludniają redakcje pism, studia telewizyjne, rozliczne „pi-ary" oraz wiele innych instytucji, w których tworzy się rzeczy ciekawe.

Wpadłam i tym razem do mojej redaktorki — jak zwykle rozgadana, pełna emocji — nie zawsze uporządkowanych. Wpadłam ożywiona, ale i nieco smutna, na coś zawsze wściekła, no i naszym polskim zwyczajem zawsze skłonna do narzekań.

Na jednym krześle umieszczam moje niezliczone siatki, torby i paczki, które jakoś niepostrzeżenie po prostu mnożą mi się w rękach, kiedy tylko udaję się do miasta — na drugim krześle lokuję siebie samą. Przyjmuję z wdzięcznością zaofiarowaną mi szklankę wody oraz filiżankę kawy...

— Słyszałyście panie — zaczynam, od razu na wysokich obrotach, prawie bez oddechu — słyszałyście wczoraj tego polityka w telewizji, strasznie mnie zdenerwował — mówię i czuję, jak narasta we mnie ten sztuczny szumek, podniecający, acz pusty — więc wyobraźcie sobie: on powiedział tak, a ten drugi do niego tak! — wykrzykuję w podnieceniu, zupełnie jakby to była rzecz ważna, a nie taka, która jutro zgaśnie przecież, zastąpiona przez inną, równie bez znaczenia...

Rozmawiam głównie z „tą moją", z którą łączy nas wspólna praca — ale grzecznie zwracam się do obu. „Moja", umieszczona po prawej, mimo że z głową w komputerze, uprzejmie potakuje — natomiast ta druga, siedząca przy ścianie koło okna — patrzy na mnie wzrokiem trochę nieobecnym.

— No więc co panie na to? — naciskam, chcę się wspólnie z nimi trochę pozłościć, gdyż wściekłość w samotności nieco mi się już znudziła.

— Trudno mi powiedzieć — odpowiada ta spod ściany po chwili, cichym głosem (dopiero teraz uświadamiam sobie, że ona zawsze mówi cicho) — ja nie oglądam telewizji. Pozbyłam się telewizora już dawno, chyba z osiem lat temu...

W ciszy, która zapadła, zostaję sama z moim głupim oburzeniem, z moimi sztucznie rozbudzonymi, fałszywymi emocjami — i czuję się przyłapana, sama już nie wiem na czym. Wiem, że powinnam coś powiedzieć — ale zamiast tego nagle, po raz pierwszy, zaczynam przyglądać się dziewczynie spod ściany.

Po raz pierwszy widzę ją naprawdę — jakby nieostry do tej pory obraz teraz napełnił się kształtem. Średnio młoda, o pogodnej twarzy, gładko uczesanych włosach... Trudno to inaczej opisać — ale otacza ją jakaś czystość, która emanuje z niej przy każdym geście. Może dlatego, że często widzę ją w białym — teraz też ma na sobie białą lnianą bluzkę. Właściwie nic o niej nie wiem — ma na imię Monika — ale nie znam nawet jej nazwiska, nie wiem też, co dokładnie robi w owej redakcji. Po prostu pani przy biurku pod ścianą — w białej bluzce.

Teraz widzę w jej wzroku coś w rodzaju pobłażliwej obojętności dla mojego niezbyt mądrego zachowania. I oczywiście reaguję jeszcze bardziej głupio i niezręcznie:

— Pewnie jest pani także wegetarianką — pytam nie wiadomo dlaczego.

— Nie — odpowiada spokojnie — buddystką.

Z kompletnego już pomieszania i sytuacji, kiedy ja, osoba raczej biegła w konwersacji, zapomniałam kompletnie języka w gębie — ratuje mnie moja pani redaktor, która oderwawszy się na chwilę od komputera, zadaje mi jakieś nieważne, lecz błogosławione pytanie. Potem dzwoni telefon — jestem ocalona.

Dopiero wiele godzin później, kiedy wracam wieczorem do domu — ciemniejącymi uliczkami Krakowa — mam czas i ochotę o tej rozmowie pomyśleć. Już nie z poczuciem wstydu — ale z refleksją. Wiem już, że było to spotkanie — ulotne, nie planowane — które pozostanie w pamięci. Jak rzadko jesteśmy zdolni spotkać, dojrzeć, zauważyć kogoś innego. Ilu ciekawych ludzi mijamy obojętnie — nic o nich nie wiedząc — i chyba inaczej już być nie może. Nie mamy czasu, ochoty, okazji, aby zatrzymać się na krótką choćby rozmowę. Także doświadczenie autentycznego, naprawdę przypadkowego spotkania jest czymś niezwykle rzadkim — i nieraz bardzo cennym.

Pamiętam, kiedyś, przy pracy w filmie za granicą, w wielkiej międzynarodowej ekipie — spotkałam dziewczynę wegetariankę. Wiem, wiem, dziś to nic specjalnie nowego, ale wtedy... „Jak myślisz, ile mam lat?" — spytała mnie. „Dwadzieścia dwa, trzy" — odpowiedziałam szczerze. Miała trzydzieści dziewięć.

Nie było to spotkanie jakimś szczególnym objawieniem — ale może sprawiło, że wkrótce potem zaczęłam naprawdę zastanawiać się, co jem, jak żyję — kim właściwie jestem. Nie, nie będę już sobie obiecywać, że każdej osobie, z którą zetknie mnie los, będę poświęcała więcej uwagi — dobrymi intencjami, jak wiadomo, wybrukowane jest piekło. Ale już rozważam, czy może jednak nie wyrzucić telewizora.

Serce na dłoni

Rabka, późne letnie popołudnie. Pada deszcz. Spaceruję pod parasolem po pustym parku. Parasol jest wielki, czarny — pożyczony od miłej pani z księgarni. Za pół godziny mam tam spotkanie z czytelnikami. Uciekłam na moment w samotność, po to żeby się skupić.

Zawsze potrzebuję tej chwili ciszy, koncentracji — potrzebuję jej niezależnie od tego, gdzie ma odbyć się spotkanie i ile osób ma na nie przyjść. Zawsze cała moja uwaga, wszystkie myśli i cała energia należą do nich. Czasem wydaje mi się, że odgaduję, co myślą, kim są i czego chcą się ode mnie dowiedzieć — zadziwiający ludzie, którym chciało się w deszczowe popołudnie wziąć płaszcz z wieszaka, klucze do kieszeni, wyjść z domu, po to aby spotkać się z jakąś nie znaną sobie osobą, która pisze książki...

Chodzę więc po pustych ścieżkach — wdycham słodkawy zapach mokrego jaśminu.

Na końcu głównej alei pomnik Jana Pawła II, zrobiony z połyskującego, zimnego metalu. Przez chwilę patrzymy na siebie — On i ja. Nie, niezbyt piękny jest ten pomnik — twarz dosyć płaska, twarde rysy — w spływających strugach deszczu, ręce też jakieś sztywne — ptaki przysiadają na nich na chwilę, by otrzepać się z wody i odlecieć. Przypomina mi się twarz Jana Pawła z różnych czasów — a najwyraźniej ta z najdalszych — jasna, młoda. Pamiętam Jego ręce, Jego głos — kiedy recytował polską poezję, a ja byłam dzieckiem, dawno temu w Krakowie. Nie, zdecydowanie nie lubię pomników. W większości są po prostu brzydkie i głupie — ale nawet te piękne, nawet te, w których widać, że „artysta chciał coś przez nie powiedzieć" — może właśnie te jeszcze bardziej czują się głupio w miejscu, w którym je postawiono. Na zawsze, na wieki — bez możliwości ucieczki. — Bez litości.

Jest pomnik Chopina w Warszawie. Może i piękny. Ale i tak siedzą na nim gołębie, płatki śniegu albo strugi brudnej wody zalewają mu oczy, ludzie zaś mijają go pośpiesznie, zabiegani — nigdy prawie nie patrząc w górę. Cóż więc pomnikowi z tego, że jest piękny? Brzydkiemu może nawet lżej.

Taki zresztą jest ich los na całym świecie, i zastanawiam się, czy ci, którzy je zamawiają i projektują, myślą kiedyś o tym, na jakie właściwie

skazują je bytowanie? A to ktoś admirałowi Nelso-
nowi różową farbą pomaluje głowę, a to wieszczo-
wi coś nieprzyzwoitego wciśnie do wyciągniętych
w natchnieniu rąk...

W Krakowie na Rynku stoi pomnik Mickiewi-
cza — kochany przez mieszkańców (bo jednak,
z niezrozumiałych dla mnie powodów, pomniki by-
wają niekiedy przez ludzi kochane) — otoczony
wieńcem wymyślonych przez niego postaci. Pamiętam, jak kiedyś, w gimnazjalnych czasach —
my, chichoczące nastolatki, niewinne aż do śmiesz-
ności — umawiałyśmy się pod nim na randki.
Tylko dlatego że na pomniku młody rycerz trzyma
swój miecz w bardzo szczególny sposób...

Dzisiaj zaś inne już nastolatki, daleko mniej
niewinne, nie zaszczycając dzieła sztuki ani jednym spojrzeniem — siedzą na pomniku, malują
się na nim, przebierają — obklejają lodami i coca-
-colą. Ja zaś sama, chociaż przebiegam przez Ry-
nek zwykle szybko i nie rozglądając się — aby się
nie denerwować, byłam świadkiem, jak grupa pija-
nych i rechoczących Skandynawów fotografowała
się na stopniach monumentu, zdjąwszy przedtem
spodnie...

Pomyślałam tylko, że czas wyjeżdżać. Znaleźć
sobie jakieś miejsce, gdzie nie ma turystów —
znaleźć taki kraj, jeśli istnieje — w którym albo
nie ma pomników, albo jeśli są, to nie oddaje się

ich za marne pieniądze do zabawy rozwydrzonej tłuszczy...

Przestaje padać.

U wylotu alejki parkowej pokazuje się jakaś wycieczka szkolna. Grupa umęczonych dzieci w okropnych plastikowych pelerynach z kapturami — snuje się, zrezygnowana i bierna, szurając rytmicznie przemoczonymi butami. Mijają obojętnie pomnik Papieża — prześlizgują się wzrokiem i po mnie — samotnie stojącej obok — nie wiem, czy odróżniają jedno od drugiego.

Zwijam parasol i patrzę na zegarek — została jeszcze spora chwila — czas przed występem zawsze ciągnie się w nieskończoność. Już na niczym nie można się skupić — w głowie lekki zamęt i łagodna, niegroźna chęć ucieczki. Zawsze też wtedy ogarniają mnie głupie myśli — te mądrzejsze zostawiam sobie na później.

Teraz na przykład przychodzi mi do głowy, co by było, gdyby ktoś kiedyś mnie zapragnął postawić pomnik? Ulegam pokusie i próbuję to sobie wyobrazić — w końcu każdy sposób jest dobry, żeby przyjrzeć się sobie z zewnątrz — i tak od zewnątrz sobie siebie pooglądać. Nieraz myślę, że większość z nas lubi wiedzieć wszystko o innych — od polityka do sprzedawcy z kiosku z gazetami — znać ich cechy charakteru, wszystkie przywary, wady i zalety, ale miałaby duże trudności z opowiedzeniem tego wszystkiego o sobie.

No więc jaka miałabym być na tym pomniku — mała, pewnie za mała na pomnik, i jeszcze trochę przygarbiona. I co trzymałabym w ręku — filiżankę kawy? Nie, to upodobanie pojawiło się w późniejszych latach. Może wetknięto by mi do ręki książkę — może paletę malarską? Książki czytałam od zawsze — potem je pisałam, zawsze też malowałam. Ale przyznać trzeba, że wiele, zbyt wiele głupich, niepotrzebnych godzin spędziłam na bezmyślnym gapieniu się w telewizor. Dlatego pewnie nie zasłużyłam na pomnik z książką...

Wiem już! Gdyby ten miał być prawdziwy, to przedstawiałby mnie na jakiejś kanapie — bez żadnego zajęcia, wpatrującą się w przestrzeń, w chmurę za oknem. Jeśli tak się zastanowić, to chyba najwięcej czasu spędziłam — może nawet całe życie przesiedziałam — na kanapie, czekając na coś, na kogoś, rozmyślając... i odrywałam się od niej niechętnie i na chwilę, aby zrobić sobie kawę — albo poznać (i porzucić) kolejnego narzeczonego...

Myślę też, że byłby to pomnik naiwny i sentymentalny, z sercem na dłoni — bo taka pewnie byłam przez większą część życia. I taka jestem także i dziś, teraz — choć dawno już wiem, że nigdy nie należy nosić serca na dłoni — szczególnie kiedy ma się już na nosie okulary... — choć może jednak ci, którzy nigdy nie noszą serca na dłoni, naprawdę nie mają go wcale?

Nagle na końcu żwirowanej ścieżki pokazuje się jakiś mężczyzna. Krępy, starszawy — z parasolem i z teczką. Wygląda na typowego, wracającego z pracy urzędnika. Podchodzi szybko do Papieża — zatrzymuje się na chwilę — patrzy Mu w twarz — jak i ja przed chwilą. Potem przekłada parasol do lewej ręki, a prawą dotyka Jego prawej — jakby chciał się z Nim przywitać. Stoją tak przez chwilę obok siebie — a dłoń ludzka i metalowa dłoń złączone są w uścisku. A ja odsuwam się nieco w bok, aby im nie przeszkadzać. Starszy pan szepce jeszcze coś pod nosem — parę słów zaledwie — po czym oddala się szybkim krokiem w stronę, z której przyszedł — rozkładając parasol, gdyż akurat znów się rozpadało. Ja zaś, niemy i przypadkowy świadek ich spotkania, nie mogę oprzeć się wrażeniu, że jest to dla nich obu codzienny rytuał, a dla małego pana jedyne pocieszenie po nudnym biurowym dniu.

Chwilę później biegnę już w stronę księgarni, gdzie widzę zbierających się ludzi. Zanim stanę przed moimi czytelnikami, zanim poczuję na sobie ich wzrok, a w duszy ciepło ich przyjaznych uczuć — myślę, że może jednak istnieje jakaś tajemnica, zaklęta w owych samotnych postaciach — drewnianych, metalowych, kamiennych — pomnikami zwanych, i tylko mnie dotąd nie udało się jej poznać...

Gwiazdy
dalekie i bliskie

Całe życie tęskniłam za kimś, kto po prostu tylko mnie przytuli — powiedziała kiedyś. — Seks to znacznie przereklamowana sprawa — powiedziała także. Była delikatna, wiotka, ale silna. Była powściągliwa, trochę nieśmiała, ale odważna. I była piękna. Jej uroda — niecodzienna, trochę tajemnicza, ulotna, przezroczysta. Czy przeminęła? Nieprawda! Jest obecna ciągle, stale kopiowana — nieosiągalna.

Kto powiedział, że piękno przemija? Jest wręcz przeciwnie: brzydota przemija (na szczęście!), piękno zostaje i trwa — jest ponadczasowe. Audrey Hepburn — moja gwiazda. Wiem, wiem, oczywiście nie tylko moja, ale ja kochałam ją od zawsze. Wychowałam się w kulcie gwiazd. Nie należy mylić tego z dzisiejszym „idolstwem", które jest niczym innym, jak pochwałą tandety. Myśmy ich zdjęcia wklejały do albumów i niczego więcej od nich nie chciałyśmy — tylko czasem może trochę, troszeczkę, chciałyśmy być jak one. Nie była moim jedynym ideałem — z biegiem lat pojawiały się inne — ale była najważniejsza. Jej życie tak trochę zabawnie przeplatało się z moim. Dziś, trzynaście lat po śmierci Audrey, ukazują się ciągle nowe książki o niej. Coraz to nowi znawcy próbują zgłębiać fenomen tej postaci. Inni zadowalają się sprzedawaniem torebek z jej podobizną.

A ja nie muszę zaglądać do książek, mnie wystarczy sobie tylko przypomnieć, spojrzeć na zdjęcia z tamtych lat... Kiedyś, w studenckich czasach, mówiono, że jestem do niej podobna, choć ona duża, a ja mała, ale może oczy... Wystarczyło to, żeby różni panowie próbowali podrywać mnie „na Audrey".

Były też czasy, kiedy dziewczyny na ogół wstydziły się przyznać, że są inteligentne i rozumne, ale ja zawsze stylizowałam się „na intelektualistkę", choć pewnie wtedy naprawdę byłam tylko głupią gąską. Chodziłam więc z paczką filozoficznych książek pod pachą, zabierałam je nawet nocą do knajpy. Oczy miałam umalowane dramatycznie na czarno, siedziałam przy barze na wysokim stołku i robiłam inteligentny wyraz twarzy.

„Czemu pani taka smutna?" — pytał przysiadający się pan. — „Czy wie pani, kogo mi pani przypomina?". Wiedziałam. Wszystko w moim wyglądzie: krótko obcięta grzywka, czarny sweter, baletki, makijaż — było przygotowane na takie pytanie.

Potem pojechałam do Rzymu. Chodziłam jej śladami. Ubrana w falującą szeroką spódniczkę, mocno ściągniętą paskiem, kupowałam sobie lody, jakieś tanie pantofelki. Miałam w kieszeni tylko pięć dolarów — nie dlatego, że byłam księżniczką na „rzymskich wakacjach", jak ona, ale dlatego, że byłam studentką z komunistycznego kraju, która zabłąkała się w ciasnych uliczkach Wiecznego Miasta. Zastanawiałam się, czy wystarczy mi pieniędzy na kawałek smakowicie pachnącego placka, który nazywał się pizza, obcięłam sobie włosy u fryzjera króciutko „na Simonę". Może starałam się przez to być jeszcze troszeczkę bardziej do niej podobna…

Małżeństwa jej się nie udały. Mnie też nie. Żaden mężczyzna nie zastąpił ojca, który porzucił ją, kiedy miała osiem lat. Mojego w tym czasie zamęczono w więzieniu, ale to już tylko historyczny szczegół. Pewnie dlatego potem przez całe życie szukałam go w poznawanych mężczyznach. Nie znalazłam — jak ona.

Pamiętam, jak biegłam na mój pierwszy bal. Miałam własnoręcznie uszytą sukienkę, halkę z Paryża, długie kolczyki wyżebrane od kuzynki. Ale czułam się — z włosami wysoko upiętymi w kok — jak Natasza z *Wojny i pokoju*. Nie, nie znalazłam wtedy księcia Andrzeja, choć w ówczesnym

Krakowie też przewijali się jacyś, mocno pijani, arystokraci. Ten mój nie okazał się jednak księciem — ani prawdziwym, ani z bajki.

A dziś? Zastanawiam się, czy poszukiwanie wzorców, ideałów nie jest tylko przywilejem młodości. Ale przecież zawsze, chcąc czy nie chcąc, do kogoś się „przymierzamy", niech więc ten ktoś miarę ma wysoką. Gwiazdy dlatego są gwiazdami, że są daleko — nieosiągalne. Nie pokazują majtek, nie tatuują sobie czegoś na udzie ani nie noszą kolczyka w nosie. Gwiazd nie można dotknąć, pomacać, poślinić. Nie fotografują się byle gdzie, z byle kim. Są tajemnicze, zawsze wierne sobie, idą swoją drogą. Wiedzieć mamy o nich tylko tyle, ile chcą, żebyśmy wiedzieli, i jest to wystarczająco dużo, aby nam pomóc w naszej codzienności. Nie piszą blogów.

Audrey w późniejszych latach życia jeździła do Afryki jako ambasador UNICEF-u i wcale nie chciała być przy tym fotografowana. „Im więcej mogę mieć, tym mniej jest mi potrzebne" — powiedziała w jednym z ostatnich wywiadów. „Zamiast lecieć na Księżyc, wolę przyglądać się drzewu".

Nie była samotną gwiazdą — pewnie i przed nią, i po niej takich wspaniałych kobiet było więcej. Niech więc każdy, kto chce, znajdzie sobie własną. Ale niech pamięta: żeby je podziwiać, na-

97

leży spojrzeć nie w ekran telewizora — należy
spojrzeć w górę. Podnieść głowę. Wysoko.

Koncert
o zachodzie słońca

Pamiętam takie letnie wieczory: rozżarzona czerwona kula powoli zniża się na gasnącym niebie. Jeszcze świeci się złoto, jeszcze ogrzewa nasze twarze, rozjaśnia nam włosy. Jest piękniej, niż było przez cały dzień. Chciałabym tak trwać, grzać się w tym blasku, ale wiem, że już zaraz, za chwilę zniknie nieuchronnie za horyzontem, zapadnie w mrok...

Wybrałam się na koncert znajomej śpiewaczki. Rzadko teraz chodzę na takie towarzysko-artystyczne imprezy, ale jej chciałam posłuchać. Oczywiście dlatego że pięknie śpiewa, ale też dlatego że, tak mniej więcej, jesteśmy równolatkami. Pewnie więc chciałam sprawdzić, jak też radzi sobie z tym, z czym i ja zmagać się muszę...

Wpłynęła na scenę — energiczna, uśmiechnięta. Potrząsnęła grzywą rudych włosów. Rozkłada szeroko ręce: „Kocham was!" — mówi.

I może tylko ja widzę, ile w jej twarzy jest napięcia. Śpiewa, przedstawia swoich muzyków, żartuje, śpiewa znowu. Przyjemnie jej słuchać — przyjemnie patrzeć na kogoś, kto tak lubi to, co robi.

Ale ja, która całe życie spędziłam w show-biznesie, widzę także i to, czego widzieć nie chcę. Widzę białe smugi w rudych włosach, no i ta sukienka może powinna być nieco luźniejsza w talii... Widzę cień pod oczami, którego już żaden podkład nie zakryje. No, może taki specjalny korektor w złotej tubce, który...

A moja ruda tymczasem śpiewa, żartuje, flirtuje. Przyznaje się nawet publicznie do swojego wieku i myli się przy tym nie więcej niż o jakieś trzy, cztery lata. Dla obcego widza jest pewnie uosobieniem energii, pewności siebie, prostoty. Ale ja wiem, ile rozpaczy kryje się w takiej prostocie. Śpiewaczka płynie lekko na fali ludzkiej sympatii, ale ja wiem i ona wie, że jest tylko łódeczką na wzburzonym morzu. Chwila nieuwagi, moment słabości i zatonie, i nie podniesie się już...

Dobrze to znam — najpierw, tygodnie wcześniej, dzwoni telefon: „Czy zechce pani, czy może, czy zaszczyci nas?". Chcę, mogę, zaszczycę — oczywiście. Pewnie, że czasu mam mało, ale jeśli telefon nie zadzwoni znowu? A przecież póki dzwoni, wiem, że żyję. Kilka dni przed występem. Lustro. „Jak ty wyglądasz? Potrzebne były te wszystkie szarlotki, serniczki, przecież obiecywałaś sobie... A teraz wstyd". Więc co mam na siebie włożyć? W te „reprezentacyjne" spodnie już się nie wcisnę — jasne pogrubia, w ciemnym zaś wyglądam smutno! Godziny przed występem. Naczytać sobie tekst, zrobić jakiś plan. „Co ja im powiem, żeby dalej mnie lubili, żeby nie wyczuli tej wzbierającej we mnie rozpaczy...?"

Lustro. Namalować sobie na twarzy wszystko, co trzeba — no i jeszcze ten cudowny korektor... Bardzo się kiedyś o niego pokłóciłam z moją przyjaciółką Dorotką Terakowską.

Dorota, pisarka znakomita i wspaniała osoba, ogromnie nie lubiła wszelkich upiększających zabiegów. „Nie chcę, żeby mi mazali jakimś białym mazidłem po twarzy" — mówiła z irytacją. A teraz Dorotka zza chmurki patrzy pewnie na te moje rozpaczliwe wysiłki, a że była zawsze kobietą wielce tolerancyjną, więc pewnie uśmiecha się wyrozumiale. Ale miałaś rację, Dorotko: niekiedy już nawet najlepszy korektor nie pomaga.

Tymczasem ruda odpływa w stronę kulis, niesiona falą burzliwego aplauzu. Pojawia się raz jeszcze, kładzie dłoń na sercu. Znika. Biegnę do niej za kulisy, chcę jej powiedzieć, że jest królową — mimo wszystko, że jest wielka. Stoi w cieniu za sceną — zmęczona, spocona. W zimnym świetle korytarza wygląda jak położna, która całą noc odbierała poród, a teraz, o świcie, wraca nocnym tramwajem do domu.

— Pięknie śpiewałaś — mówię.

— Dziękuję bardzo — odpowiada mechanicznie.

— Jesteś genialna — dodaję szczerze.

— Wiem — odpowiada znużona. — Wiem.

Kiedyś, wiele lat temu, podziwialiśmy z mężem Marlenę Dietrich. Aktorka — wtedy po sześćdziesiątce — pojawiała się na scenie w specjalnie dla niej wymyślonej, wyszczuplającej sukni. Potrząsała blond włosami, czule obejmowała mikrofon. „Kocham was" — szeptała. Czasem potykała się w pewien szczególny sposób. Myślałam, że to kokieteria. Dziś już wiem, że tak dzieje się wtedy, kiedy cały dzień nosi się okulary, a wieczorem występuje bez nich. Teraz sama też się tak potykam. Po koncercie otaczał ją tłum. Panowie słali się u jej stóp. Parę lat później widzieliśmy ją znowu, w Kopenhadze, w Tivoli. Wszystko było: złoto we włosach, specjalna suknia. Potykała się tylko jakby częściej. Popędziliśmy za kulisy. Nie, nie było kolejki do jej garderoby. Drzwi były uchylone. Marlena siedziała zgarbiona przed lustrem, perukę miała przekrzywioną, rozmyty makijaż — w ręku kieliszek. Oddaliliśmy się na palcach. Myślę o tym wszystkim w nocy — zamiast spać. A przecież jutro mam występ. Znowu pięknie rozczeszę włosy, włożę czerwoną sukienkę, nie zapomnę o korek-

torze. Rozłożę ręce: „Kocham was!" — powiem
i nie skłamię. I pobiegnę. Wprost ku rozżarzone-
mu zachodzącemu słońcu.

Wybór

Z biegiem lat staję się kimś w rodzaju „tłumacza uczuć". Lubię przyglądać się ludzkim sprawom z coraz innej strony i stale od nowa. Coraz bardziej zajmuje mnie nie to, co na zewnątrz, co jest wokół nas — ale to, co jest w nas, co nam w duszy gra, śpiewa, czasem płacze, a czasem tylko kołacze się bezradnie.

Nie, nie nazywam tego po amerykańsku emocjami — dla mnie to ciągle jeszcze są u c z u c i a.

Jednym z uczuć, nad którymi często się zastanawiam, jest obojętność. Dobra jest czy zła? Może dobra, bo przecież spokojna, nie wadzi nikomu.

Obojętność przecież to nic złego, to tylko brak zaangażowania w sprawy drugiego człowieka — tyle nam wolno. Przeważnie nikt niczego innego od nas nie oczekuje. Nawet wtedy, kiedy ten człowiek jest naszym bliskim czy sąsiadem.

Nie zgadzam się z twierdzeniem, że sumienie to miękka poduszka, na której dobrze się śpi, a także ze stwierdzeniem, przeczytanym ostatnio w pewnym artykule — że odwaga to cena spokoju.

Prawdopodobnie za odwagę zawsze trzeba zapłacić — mniejszymi lub większymi kłopotami. Ale czy w końcu nie przychodzi nam płacić także i za brak odwagi? I to nieraz bardzo wiele — zdrowiem, a nawet śmiercią.

Boli mnie czasem i przeraża gładkość, z jaką prześlizgujemy się po problemach, które nas osobiście nie dotyczą. Złości ów słodki głos, który lubi szeptać nam do ucha, że cokolwiek by się działo — to my jesteśmy w porządku. Przecież nie może być inaczej, bo my to my, a winni są „oni". Zawsze są jacyś „oni".

Piszę to wszystko ostrożnie i z namysłem, bo zdaję sobie sprawę, że równie dobrze można by wygłosić pochwałę obojętności — naturalnej czasem, bo zdrowszej dla człowieka, bezpieczniejszej... Tyle że uczciwość i moralność to nie jest — jak sądzą niektórzy — raz na zawsze dany nam kapitał, który złożyć można do banku i przez całą resztę życia korzystać z odsetek.

Od jakiegoś czasu dźwięczą mi w myślach słowa wypowiedziane przez pewnego człowieka, kiedyś, już dość dawno temu. Ważne, może jedne z najważniejszych w owym „wilczym" dwudziestym wieku.

Dlaczego przypominam je sobie właśnie teraz? Widać przyszła na nie pora. A skoro tak — to może warto je przypomnieć — wypowiedzieć raz jeszcze. Głośno.

„Kiedy aresztowano socjalistów, milczałem — nie byłem socjalistą.

Kiedy aresztowano Żydów, milczałem — nie byłem Żydem.

Kiedy przyszli po mnie — nie było już nikogo, kto mógłby mi pomóc".

Tekst ten istnieje w różnych wersjach — jest w nim mowa także o katolikach, związkowcach, komunistach. Ja przytaczam go w skrócie, w moim własnym tłumaczeniu. Zawsze jest w nim na końcu mowa o Żydach. Jakby ich los najwięcej dał światu do myślenia. Pytanie tylko, czy dał rzeczywiście.

Autorstwo tekstu przypisywane jest kilku osobom. Ja sama skłaniam się ku temu, że autorem jego jest pastor Dietrich Bonhoeffer — i bardzo bym chciała, żeby tak rzeczywiście było...

Pisał z hitlerowskiego więzienia wstrząsające listy. Należy do tych postaci, o których wiemy, że były — ale nie bardzo wiemy, kim były. Aby to wiedzieć, należałoby przeczytać wiele tekstów, które napisał — a pisał dużo.

Mnie przede wszystkim tutaj i teraz interesuje mnie najbardziej jako człowiek.

Fascynuje mnie bowiem pewien rodzaj ludzi — może nie tych, którzy stają się bohaterami, gdy los postawi ich w sytuacji dramatycznego wyboru, na wojnie czy w innej gwałtownej katastrofie — ale tych, którzy jakby dobrowolnie wychodzą z własnej codzienności. Takich, którzy porzucają ten kokon wygody, bezpieczeństwa, tę wielką pokusę niepodpadania, ukrycia, niewychylania się — pozornie przez nikogo nie przymuszani. Ten przymus jest w nich. Oni widzą zło czające się w pozornie zwyczajnym dniu dużo wcześniej — zanim ten dzień po prostu przestanie być i pogodny, i spokojny.

Dietrich Bonhoeffer — ewangelicki pastor, uczony teolog. Wiele studiował, wiele jak na owe czasy podróżował. Studiował w Ameryce, w Rzymie, w Hiszpanii. Wiele pisał — czekała go prawdziwa kariera naukowa. Wydaje się, że należał do ludzi, którzy wszystko zaczynają za wcześnie i zawsze na wszystko są za młodzi. Habilitował się już w wieku dwudziestu czterech lat. Był publicystą chrześcijańskim, nauczycielem młodzieży. Kochał młodzież, żył jej sprawami, rozmawiał — a były to czasy, kiedy wypadało traktować ją koniecznie nieco z góry. Sam był szóstym z ośmiorga dzieci znanego niemieckiego profesora.

W latach trzydziestych był docentem uczelni w Berlinie. W roku 1933 wiedział już, jako jeden z nielicznych, że należy powiedzieć „nie". Choć jeszcze tak naprawdę nic się nie stało. W owym czasie nawet większość Żydów nie spodziewała się, co się wydarzy.

Partię hitlerowską uważano za partię odnowy — ekscesy zaś jej członków za owej odnowy nieodłączne skutki. Ot, cena rewolucji — mówiono sobie. Igraszki nadgorliwych.

Na bojkot żydowskich sklepów w kwietniu 1933 roku Bonhoeffer zareagował od razu — a przecież był to tylko bojkot sklepów, jeszcze nie palono synagog, jeszcze nikogo nie posyłano do gazu.

„Przywódca i urząd, którzy sami się uwielbiają, obrażają Boga" — powiedział.

Sądzę, że już od tego czasu Bonhoeffer, człowiek, który głosił, że modlitwa nie zwalnia od myślenia, więcej, że modlitwa jest myśleniem — zdawał sobie sprawę, na jaką wkroczył drogę.

Droga ta zaprowadziła go od słów wielkiej odwagi do czynów, od nich zaś do śmierci z ręki katów.

Pastor Dietrich Bonhoeffer zginął o świcie. Został stracony 9 kwietnia 1945 roku jako ostatni z grupy przeciwników nazizmu, należał do kręgu podejrzanych w związku z zamachem na Hitlera. Aby ich jeszcze przed śmiercią upokorzyć — oraz dla rozrywki wykonujących egzekucję — kazano im rozebrać się do naga, nago stanąć pod szubienicą. Jak podaje jeden z naocznych świadków, Bonhoeffer był spokojny, skupiony — pożegnał się z innymi skazanymi i zmówił modlitwę...

Był młody — nie miał jeszcze czterdziestu lat. Nie wiem, czy uważał się za człowieka odważnego. Wydaje się, że był człowiekiem wolnym — w czasach, kiedy wolność ducha była niepożądanym luksusem, którego pozbywano się na rzecz obiecywanej powszechnej sprawiedliwości...

Stanął po stronie zwykłej ludzkiej uczciwości — przeciwko ludziom ówczesnej władzy. Musiał wiedzieć, że odpowiedzialność spoczywa nie tylko na nich, ale także na każdym z nas.

„Jestem małym człowiekiem i naprawdę niewiele mogę" — mówimy sobie — zbyt często i zbyt pochopnie. Nasz los wydaje nam się niezawiniony przez nas, narzucony z zewnątrz lub po prostu dziełem przypadku. Ale nie zawsze to prawda. Większość ważnych wyborów odbywa się codziennie — a nasza obecność na nich jest obowiązkowa.

Nie tylko w dniach wielkiej próby, także w drobnych codziennych utarczkach stajemy sami przeciw reszcie świata. Dobrze jest więc czasem przyjrzeć się tym, którzy umieli przejść, kiedy to było konieczne — od zwyczajności i podporządkowania do buntu. Powinniśmy być im wdzięczni. Wszystkim tym, którzy umieli zdobyć się na odwagę, choćby tylko w codziennym życiu. Którzy nie mogli, a może po prostu nie chcieli tolerować fałszu, obłudy, świętoszkowatości. Którzy widzieli, jak zło i kłamstwo łagodnie i niewinnie zaczyna się od błędów, zaniechań, zaniedbań, jak zagnieżdża się w nas i rośnie... Którzy bohaterstwa nie traktowali jako stroju od święta.

Ja sama, gdybym nawet nie wiedziała nic o świecie i przyjrzała się tylko swojemu życiu, musiałabym być im zawsze wdzięczna — tak wiele skorzystałam z ludzkich dobrych decyzji, a tyle wycierpiałam z powodu okrutnych zaniechań. Najbardziej zaś będę im zawsze wdzięczna za to, że pokazali nam ową możliwość wyboru.

„Niewdzięczność zaczyna się od zapomnienia — pisze Bonhoeffer. — Z zapomnienia wynika obojętność, z obojętności niezadowolenie, z niezadowolenia rozpacz, z rozpaczy — przekleństwo"*.

* D. Bonhoeffer, *Wybór pism*, przekład zbiorowy, wybór A. Morawska, Warszawa 1970.

Droga do domu

Na długo przed świętami wiedzieliśmy — mój partner i ja — że już nie będziemy razem, że wszystko właśnie się kończy. A jednak urządziliśmy święta jak zwykle, jakby nic się nie stało. Tak nas wychowano — po prostu nie umieliśmy inaczej. Były więc barszczyk i choinka, a że w domu było dziecko, więc i prezentów nie zabrakło. Rozmawialiśmy ze sobą łagodnie i ostrożnie, starając się nie dotykać tego, co boli — jakby nic między nami się nie działo.

Kiedy teraz oglądam zdjęcia z tamtych dni, widzę to, czego nie chciałam widzieć wtedy — utrwalone na zdjęciu to, co tak bardzo chcieliśmy ukryć. Niby zwyczajne obrazki: on, ona, dziecko, przystrojone drzewko. I tylko w naszych oczach niemożliwe do ukrycia zagubienie, napięcie, rozpacz. Najbardziej oczywiście wyraźne w oczach dziecka. Bywały potem różne święta. Na wsi, w górach

111

z przyjaciółmi. W ciepłych krajach na plaży (gdzie zresztą nagle zupełnie irracjonalnie i sentymentalnie zatęskniłam za zapachem jodełki), w małym gronie i w większym, w Rzymie i Nowym Jorku. Zawsze z powtarzającymi się corocznie obawą i nadzieją. Nadzieją na co? Przed czym obawą?

Może najdziwniejszy był jednak pewien wieczór wigilijny w połowie lat osiemdziesiątych. Było to w Niemczech. Nasz dorastający syn przyprowadził do domu kolegę. Chłopak wydostał się z kraju w dramatyczny sposób — był stan wojenny — dotarł w końcu promem, potem wpław do Hamburga, a stamtąd pociągiem do naszego miasta. Teraz siedział z nami przy wigilijnym stole i bardzo chcieliśmy, aby mu było dobrze. Mój mąż tuż przed wigilią przywlókł do domu wielkie drewniane pudło pełne ostryg, bo chciał zaprezentować naszemu gościowi coś, czego ten jeszcze nigdy nie jadł. Ostrygi nie chciały się otworzyć — część wieczoru spędziliśmy więc na próbach, które oprócz okaleczenia palców nie dały żadnego rezultatu.

Zatriumfowały w końcu mój zwyczajny barszczyk i smażona ryba. Na wpółotwarte ostrygi wyrzucone na balkon melancholijnie padał śnieg. A potem, właśnie w chwili, w której zaczynało być swojsko i miło, nasz gość nagle się rozpłakał. „Teraz oni w domu razem wybierają się na pasterkę" — wyznał wśród łez.

Przez te wszystkie lata nigdy nawet nie próbowałam szukać pasterki w niemieckim kościele. Teraz uświadomiłam sobie, że gdzieś na obrzeżach jest kościół polski. „Idziemy na pasterkę" — zdecydowałam. Mój mąż, ciągle trochę obrażony za te ostrygi, protestował. „Kościół daleko — tłumaczył — jest straszny mróz, a zresztą to nie Polska, to nie góry, żadnego folkloru, pijaczkowie tylko będą...".

Pojechaliśmy bez niego. To, co potem nastąpiło, sfotografowane mam w pamięci jak scenę z jakiegoś mrocznego kryminalnego filmu. Śnieg, wiatr, puste ulice. Niechętny taksówkarz — krępy Marokańczyk o ponurej twarzy — nie tylko nie miał pojęcia, gdzie jest polski kościół, ale, jak się okazało, w ogóle nie znał miasta. Wreszcie wysadził nas wściekłych i zrozpaczonych na pustym placu i uciekł z piskiem opon. Naokoło były jakieś baraki, ponure budynki z napisem „Rzeźnia". Telefonów komórkowych przecież wtedy nie mieliśmy, budki telefonicznej ani śladu. Wylądowaliśmy w końcu w małej, zadymionej tureckiej knajpie. Telefonu tutaj także nie było. Z głośników sączyła się zawodząca orientalna muzyka, a kilku panom przy barze bardzo źle patrzyło z oczu. Długo wędrowaliśmy przez zamarłe, szarzejące już ulice, zanim dotarliśmy do domu. Mój mąż czekał na nas na progu: „Zrobiłem grzane wino — powiedział z promiennym uśmiechem. — Ładnie było na pasterce?".

Nie wiem, czemu nagle dziś, na krakowskiej ulicy, przypomniała mi się ta najbardziej „emigrancka" z moich wigilii.

— Jak się masz, ciociu? — zatrzymuje mnie na rogu Szewskiej młody, wesoły głos.

— Jakie masz plany? Wybierasz się gdzieś na święta? — pyta Krysia, piękna dwudziestoletnia. A ja, zamiast odpowiedzieć byle co, czuję nagle potrzebę szczerości.

— Wiesz, dziecko — odpowiadam — boję się tych świąt. Już od paru lat po prostu się boję.

Krysia, dziecko kochającej się katolickiej i dość zamożnej rodziny, patrzy na mnie ze zrozumieniem.

— Wiesz, jak wyglądała nasza zeszłoroczna wigilia? — pyta. — Mama już przy kolacji płakała, ojciec wyciągnął wreszcie brata na pasterkę, a ja przesiedziałam do rana w jakimś nocnym barze. Wypaliłam mnóstwo papierosów, mama przeszlochała całą noc... Nie wiem, czy w tym roku będzie lepiej — dodaje.

Idę dalej. Po lewej mała uliczka — dwa znaki drogowe: zakaz wjazdu, zakaz zatrzymywania się i tablica: „Droga wewnętrzna". Myślę więc sobie, wracając do domu, że może święta to tylko kolejne przystanki na naszej wewnętrznej drodze — od buntu do pokory, od gniewu do akceptacji. Tak so-

bie powoli idziemy od protestu do zgody, nawet
do wdzięczności za to wszystko: za pokruszony
opłatek, wystygły barszcz, czyjeś dobre słowo, za
odrobinę ciepła i światła z kominka, piecyka, czy
choćby tylko małej lampki.

Dziwne sklepy

Wędruję zimowymi ulicami Manhattanu. Brnę przed siebie wśród wirujących, zapierających dech płatków śniegu. Marznę. Ratują mnie sklepy. Niedaleko od mojego domu, na tej samej ulicy, jest niezwykły sklep z kawą. Już kilka kroków przed nim unosi się w powietrzu ciepła chmurka zapachu. Cudowna woń czekolady, wanilii — zapach domu.

We wnętrzu, trochę mrocznym — mały, lekko przygarbiony Chińczyk w kolorowej czapeczce — pewnie stary, choć trudno określić jego wiek. Ma okrągłe okulary i siwą, starczą bródkę. Patrzy na mnie z uwagą. Ale ja nigdy nie wiem, jakiej chcę kawy. Chcę wszystkiego naraz. Wokół mnie matowo połyskują metalowe puszki — na podłodze skrzynki, pękate worki. Wysoka lada z ciemnego drewna oddziela mnie od Chińczyka. Na ladzie wielkie słoje. Czytam egzotyczne na-

zwy: Gwatemala, Java, Jemen Matari. Chciałabym, żeby Chińczyk opowiedział mi o nich, żeby
pomógł, poradził — ale jego amerykański brzmi
całkowicie po chińsku — mój zaś angielski chwi-
lami do złudzenia przypomina polski. Nie jest nam
łatwo. Pokazuję więc tylko palcem na któryś ze
słoi — i wychodzę z czymś oszałamiająco pachną-
cym, zapakowanym w brunatną papierową torbę.
Wiem, że będzie dobrze, wiem, że przyjdę znowu.
Lubię to miejsce, lubię tego Chińczyka. Po jakimś
czasie udaje nam się prawie zaprzyjaźnić. Mam
wrażenie, że kiedy wchodzę — zawsze zmarznię-
ta, zawsze trochę przestraszona — coś tam błyska
zza okrągłych okularów.

Pewnego dnia częstuje mnie filiżanką kawy,
którą przygotowuje w złotym tygielku na palniku
gazowym. Kosztuję płynu o rajskim smaku, jakie-
go nigdy wcześniej nie znałam i nie zaznam już
nigdy, gdyż nazwy, którą wymówił w tym swoim
chińsko-amerykańskim narzeczu, na pewno sobie
nie przypomnę. Pamiętam za to jego ręce — stare,
o suchej, pomarszczonej skórze, bardzo brązowej,
jakby także przybrały już kolor kawy.

W Nowym Jorku ratowały mnie sklepy. Ratowały nie tylko przed zimnem — także przed za-
gubieniem, pustką, szarością długich, samotnych
dni. Zaczęłam te sklepy zwiedzać, kolekcjonować
te najbardziej dziwne i niepowtarzalne. I chyba
właśnie tam i wtedy zaczęłam się zastanawiać nad

istotą i zjawiskiem sklepu. Czym jest w naszym życiu. Dlaczego tak często rozmawiamy, opowiadamy sobie o sklepach. Dlaczego w dzieciństwie tak chętnie bawimy się w sprzedawanie i kupowanie. Wydajemy się sobie wtedy ważni, poważni — dorośli.

Później zaś, już dojrzali — choćbyśmy byli nie wiem jak zwykli, banalni, przeciętni — w sklepie jesteśmy kimś. Jesteśmy klientem. Sprzedawca musi z nami rozmawiać, musi zwrócić na nas uwagę. Tylko tam — przynajmniej tam. Choćby nie chciał, choćby nas nie lubił. Bo to my przychodzimy do niego, czym byłby bez nas... bez nas przecież i jego by nie było. W sklepie nie jesteśmy nigdy samotni — jest nas zawsze przynajmniej dwoje — on i my.

Ale jest i coś więcej — w sklepie realizuje się w jakiś przedziwny sposób idea rzeczy — jej czar i jej władza. Przychodzimy tam, żeby kupić to, czego jeszcze nie mamy — czasem nie wiemy nawet, co to mogłoby być. Wiemy tylko, że to powinno, że musi nas to choćby na chwilę uszczęśliwić. Snujemy się od sklepu do sklepu — w poszukiwaniu magii zaklętej w przedmiotach — tragiczni romantycy.

Pamiętam i inne nowojorskie sklepy. Przeglądam je dziś w myślach jak okładki dziwnych, tajemniczych książek.

Sklep ze szkieletami na przykład. W małym pomieszczeniu w Soho były ich dziesiątki. Olbrzymie białe kościotrupy na postumentach, różnokolorowe szkieleciki z plastiku, które wesoło podrygiwały, kiedy ciągnęło się je za sznurek, jak marionetki. A także całkiem malutkie, które można nosić jako breloczki u paska albo torebki. Szkielety i trupie czaszki — wyłącznie. Sprzedawca — czy muszę dodawać, że był wysoki, kościsty, z gładko przylizanymi długimi włosami i że wyglądał jak duch? Naprawdę. Zastanawiam się tylko, jaka myśl, jaki pomysł sprawiły, że wybrał sobie właśnie takie miejsce.

Sklep jako sposób na życie... Kim są ci wszyscy ludzie, którzy zakładają dziwne sklepy — portrety swoich marzeń? Zamknięte na niewielkiej przeważnie przestrzeni — ich tęsknoty, fantazje, sny.

Pamiętam także na Manhattanie dwóch przemiłych gejów. Ich sklep nazywał się po prostu „Włoskie Perfumy". Kilkanaście metrów kwadratowych absolutnego luksusu — obite skórą kanapy, wielkie lustra, kwiaty. I perfumy, perfumy: Aqua di Parma, Aqua di Verona, Azzurro — w przepięknych, wyszukanych flakonach.

Jeden z właścicieli, niezwykle przystojny — ubrany zawsze w ciemne spodnie i nieskazitelnie białą koszulę, okazał się z pochodzenia Niemcem. Mogliśmy więc porozmawiać.

— Zrealizowałem swoje sny — mówi — włożyliśmy w to wszystkie nasze pieniądze, ale popatrz, nie ma tu nic innego, tylko zapachy, nasze ulubione, włoskie zapachy, legenda, marzenie o wakacjach — o białych katedrach, słońcu, morzu... — zdejmuje z półki kryształowy niebieski flakon — powąchaj, jak pachnie. Pięknie?

Był także sklep z magicznymi kamieniami. We wszystkich kształtach, wielkościach i kolorach. Miały też na wszystko pomagać. Miały leczyć, dodawać siły, energii, odwagi.

Kupiłam tam mały zielony kamyk, który kojarzył mi się z pewną piosenką. Nie wiedziałam jeszcze, co z nim zrobię. Nie wiedziałam, że parę miesięcy później podaruję go mojej przyjaciółce Ani, której mąż został wówczas aresztowany — o świcie, w kajdankach, osadzony w więzieniu — niewinnie zresztą.

W Berlinie, w starej, eleganckiej dzielnicy jest sklep z ziemniakami — tylko i wyłącznie. Schodzi się do niego po kilkunastu schodkach w dół. Wewnątrz ziemniaki, które tu oczywiście nazywają się kartofle — wszystkie możliwe gatunki, z całego świata.

Znajomy, któremu opowiedziałam o moim odkryciu, uśmiecha się pobłażliwie. „Każdy berlińczyk zna oczywiście ten sklep, kupowała tam jeszcze moja mama" — dodaje z dumą. Właściciel, krępy facet w starym skórzanym fartuchu — ma nos czerwony od alkoholu, szeroki i podobny do kartofla. Być może nie tylko właściciele psów upodabniają się do swoich pupili, ale także właściciele sklepów...

Tu, gdzie teraz mieszkam, na drodze, którą codziennie muszę chodzić, jest sklep, którego może wcale nie powinno być, i ciągle się dziwię, że jeszcze istnieje. Jest to sklep z wypchanymi zwierzętami. I chociaż przechodząc, staram się odwracać głowę — nigdy nie udaje mi się nie spojrzeć w szklane, smutne zwierzęce oczy. Na środku wystawy — mały, biały baranek, zupełnie jak żywy...

Krakowskie sklepy zapamiętane z dzieciństwa — tajemnicze i jednocześnie znajome. Te wszystkie antykwariaty — ciemne i przykurzone, gdzie można było godzinami szperać w starych książkach. Te spożywcze, gdzie na kilkunastu metrach kwadratowych mieściło się prawie wszystko, a na wystawie królował słój z kiszonymi ogórkami i puszka posklejanych landrynek... Albo sklep ze sztucznymi różami i fiołkami, które wyglądały jak żywe — i te z kapeluszami, staroświecko zwane „modniarskie". Każdy kapelusz był tam jedynym i niepowtarzalnym dziełem sztuki, a żadna krakowska elegantka nie mogła się bez niego pokazać.

Takie sklepy z czasem znikają — coraz ich mniej. Ale ja nie będę narzekać — nie chcę myśleć o tym, że zastępują je monstra — dumnie galeriami zwane. Nie chcę się nawet nad tym zastanawiać. Bo na razie sklepy, te prawdziwe, jeszcze są, nieźle się czują i może zawsze będą istniały. Zawsze będzie to niezwykłe trio — on, trochę szalony, nawiedzony sprzedawca, lada, która nas oddziela, i ja, jego klient, niepoprawny romantyk szukający czegoś, czego nie ma — sposobu na szczęście.

Spłowiały pamiętnik

Różowa filiżanka ze złotym brzeżkiem, którą przywiozłam z Nicei, biały porcelanowy aniołek z odłamaną rączką — dałam go kiedyś w dzieciństwie jako talizman mojej mamie, kiedy szła do szpitala... magia przedmiotów. Szczęście obcowania z przedmiotami, które lubimy, które do nas mówią. Może jest to tylko doznawanie szczęścia — bez konieczności bycia szczęśliwym. Zwyczajne małe szczęście — nieraz jedyne, jakie znamy — podczas kiedy ciągle nadaremnie czekamy na to wielkie.

Zawsze lubiłam odwiedzanie sklepów z antykami, z tak zwanymi starociami, kramów, najróżniejszych pchlich targów. Lubiłam i lubię do dziś chodzić tak, szperać, przyglądać się — i więcej jest w tym zawsze ciekawości niż chęci posiadania.

Spotykam wystawione na sprzedaż, czasem piękne, a czasem brzydkie, ale zawsze porzucone, osierocone przez ludzi przedmioty. Czekają nie wiadomo na kogo, chłonąc kurz. Przypominają trochę schroniska dla zwierząt — patrzą na mnie podobnie zrezygnowanymi, pustymi oczami... dlatego staram się nie bywać tam, kiedy jestem smutna.

W dobrych chwilach natomiast ogarnia mnie zapał badacza — puszczam wodze fantazji — wymyślam przedmiotom przeróżne historie.

Biorę niektóre z nich do rąk — dzbanuszki, obrazki, pudełka, książki. U kogo mieszkały przedtem — kto je stworzył, wydobył z niebytu, lub kupił dla narzeczonej albo dla mamy na imieniny... Kto je kochał, pielęgnował, odkurzał — kto je porzucił. Jakie były losy ich posiadaczy... kto je sprzedał, bo zabrakło mu pieniędzy albo dlatego, że już przestały mu się podobać. Jakie były ich losy wojenne, przedwojenne, kto próbował je ocalić, a kto je osierocił...

Człowiekowi, który przeżył utratę domu, własnego dobytku — tego wszystkiego, co posiadali i kochali mieszkańcy tego domu przez pokolenia — nietrudno takie historie po prostu odgadywać. Ale często w tych wyprawach towarzyszą mi ludzie młodzi — zakochane pary, które, z nadzieją i wielkim zapałem, z owych porzuconych strzępków cudzego gniazda próbują zbudować sobie nowe. Myślę, że być może przedmioty te bardzo cieszą się z takiego obrotu rzeczy.

Pamiętam, że kiedyś, jako młoda mężatka, w samotnym jak wyspa Berlinie lat sześćdziesiątych, wśród zrujnowanych jeszcze ulic, w zaułkach, pod mostami odkrywałam kramy, gdzie sprzedawano takie ocalałe z pożogi sprzęty i pamiątki. Szukałam głównie przedmiotów codziennego użytku — byliśmy biedni, dopiero zaczynaliśmy nasze emigracyjne życie — ale znajdowałam także przedmioty niecodzienne. Przynajmniej tak mi się wtedy wydawało.

Kupiłam tam moje ukochane porcelanowe pojemniczki malowane w niebieskie bratki — na każdym jest z niemiecką starannością wykaligrafowany napis: „Cukier", „Kawa" — żeby broń Boże czegoś nie pomylić. Stamtąd mam też drewnianą półeczkę malowaną w ptaszki, która do dziś wisi w mojej kuchni. Kuchnie się zmieniały — zmieniały się mieszkania, miasta. Półka została, do dzisiaj stoją na niej te same sprzęty, wierne, stabilne — małe wysepki na niespokojnych wodach mojego bytowania.

Mam też trzy stare aksamitne pudełka — niebieskie, czerwone i brązowe. Na ich wieczkach kobiecą ręką wyhaftowano nazwy tego, co miały zawierać: kołnierzyki do koszul, chusteczki, spinki. Stoją dziś w mojej sypialni, a ja czasem zastanawiam się, jak wyglądał elegant, który wieczorami układał w jednym z nich swoje pięknie wykrochmalone kołnierzyki. Może miał ciemne, zabójczo podkręcone wąsiki...

Kupiłam kiedyś w Wiedniu — dotąd nie wiem, co mnie do tego skłoniło — niewielką książeczkę. Może dlatego, że oprawiona była w przepiękny zielony, nieco spłowiały aksamit, może dlatego, że zamykała się na złoty zameczek z kluczykiem, może dlatego, że wyglądała tajemniczo. Wewnątrz wytwornie tłoczone, pożółkłe kartki — pamiętnik. Do dziś stoi u mnie na półce między książkami — patrzę na niego czasem, a kiedy przerzucam spłowiałe, leciutko już pokruszone stronice — staje przede mną owa dziewczyna.

Miała na imię Maria — na nazwisko Gold, czyli Złoto. Dostała ten pamiętnik w roku 1915. Pierwszym, który się do niego wpisał, był jej brat — na imię miał Franz. Potem pewnie poszedł na wojnę. Na wojnę poszedł też ów adorator Robert, który pisze o „strasznym roku wojny" i wkleja na pamiątkę różę.

Jakaś Luiza wpisuje liliowym atramentem wiersz i datę: rok 1918 z wykrzyknikiem! Dalej przyjaciółki — grzeczne spiczaste gotyckie pismo, patriotyczne wiersze i wklejone pracowicie róże, lilie, fiołki...

Trochę później wpisze się matka — jest już rok 1920. „Czerwone usta, niebieskie oczy — niech cię na zawsze szczęście otoczy" — oto, co wymyśliła wierna przyjaciółka, Lilly. A w lipcu 1920:

„Nie chcę Cię nigdy zapomnieć i Ty nie zapomnij mnie...", pisze Fischer Józef, po czym starannie maluje dłoń trzymającą bukiet kwiatów. Czy ów Józef okazał się tym jedynym, tym wybranym — nie wiadomo. W każdym razie dzieci chyba nie było — i pewnie było coraz mniej przyjaciół.

Ostatnia kartka oprócz wielkiego bukietu żółtych chryzantem zawiera trochę nieśmiałe życzenia: „Pani nauczycielce Marii Gold — od wiernej, choć nie zawsze grzecznej uczennicy".

Później, może dużo później, pamiętnik trafił do antykwariusza, a stamtąd do moich rąk. I to jest wszystko, co z niego wyczytałam — ale także to, że Maria Gold prawdopodobnie nie miała bliskich, że nie było nikogo, kto chciałby do dziś to wspomnienie o niej przechować. Nigdy już nie zobaczę Marii Gold, nie dowiem się, jak wyglądała, choć starannie przechowuję u siebie coś, co kiedyś było jej drogie i bliskie.

Dlaczego piszę o rzeczach małych i może bez znaczenia? Dlaczego czynię to w czasach, kiedy już nawet miłości szuka się w Internecie, w czasach, kiedy znacznie częściej zmienia się mieszkania, meble, tapety, klimaty? Czy rzeczy nie stają się tylko zbędnym balastem?

Dlatego pomna tysięcy przysiąg, które sobie złożyłam, staram się nie pomnażać już wokół siebie przedmiotów. Jeśli mi się podobają, już tylko im się przyglądam, nawiązując z nimi krótkie, przelotne związki. Niekiedy wystarczy to, aby mi opowiedziały swoją historię. A potem o nich piszę. I mam nadzieję, że udaje mi się czasem stworzyć taki swoisty azyl — dla słów, uczuć, przedmiotów... i że nie jestem w tym tak całkiem osamotniona.

Pan Cogito
bronił się zawsze
przed dymami czasu
cenił konkretne przedmioty
cicho stojące w przestrzeni

Tak napisał — dawno już temu w wierszu *Pana Cogito przygody z muzyką* — Zbyszek Herbert, mój przyjaciel.

List samobójcy

Ta historia aż się prosi o mroczny salon, najlepiej angielski — oświetlony tajemniczymi błyskami ognia na kominku, może o zieloną herbatę...

Jest jedną z tych opowieści, które często przychodzą do mnie same, nieproszone. A może to ja czasem nieświadomie ich szukam — człowiek piszący o ludziach, wieczny wampir? „Zawsze mamy dość siły, aby znosić cudze nieszczęście" — powiedział Boy. Nie miał racji. Nie zawsze.

Zaczęło się niewinnie. Jak często u mnie — zaczęło się od podróży.

Kraków wiosną tego roku był wyjątkowo gorący, duszny, szczelnie wypełniony ludźmi. Na mojej ulicy rechot turystów mieszał się ściśle z warkotem samochodów — huczał nieustannie, nie odróżniał dnia od nocy...

W tych warunkach trudno było napisać choćby kilka zdań, trudno było nawet kilka zdań przeczytać.

Postanowiłam pojechać na kilkudniowy wypoczynek. Wybrałam sobie nieco staroświeckie, trochę już dziś zapomniane uzdrowisko. Wybrałam je raczej z powodów sentymentalnych. Pamiętałam je z czasów, kiedy byłam tam kilka razy jako uczennica. Takie wyjazdy to był jeden ze sposobów na życie mojej mamy.

Kiedy codzienność zbytnio jej już doskwierała — a w jej życiu osoby pracującej i samotnie wychowującej dziecko takich momentów musiało być sporo — po prostu pakowała rzeczy. Nie płakała, nie piła, nie zażywała proszków, tylko zabierała dziecko, czyli mnie, i wyjeżdżała.

A ja, kiedy wracałam zmęczona ze szkoły, wlokąc za sobą przyciężki tornister, wpadałam już w przedpokoju na spakowane walizki. To nic, że był rok szkolny, praca — obie z mamą po prostu „brałyśmy grypę".

„Lepiej wydawać na wakacje niż na lekarza" — mówiła. Do dziś uważam, że miała rację. Tak więc z biegiem lat objeżdżałyśmy wszystkie podkrakowskie kurorty. Na dalsze podróże w tamtych latach nie starczało jeszcze czasu ani pieniędzy.

Na ogół nie miałyśmy z góry upatrzonego pensjonatu. Na miejscu, przed dworcem, stali zwykle dorożkarze. Mama umiała z nimi rozmawiać, a oni potem bezbłędnie zawozili nas tam, gdzie czekało dobre jedzenie, ładny pokój z widokiem na jakieś zielone gaiki. Teraz oczywiście, w innych już cza-

130

sach — pokój musiałam sobie z góry zarezerwować. Ten pensjonat wybrałam dość przypadkowo. Chciałam tylko, żeby był spokojny, niezbyt duży i nie za bardzo nowoczesny.

Już kiedy siedziałam w autobusie, zaczął padać deszcz. Jakiś czas później wysiadłam z taksówki na wąskiej uliczce w starej, tradycyjnej części uzdrowiska i odniosłam wrażenie, że znam ten dom.

Zielone okiennice, weranda, po drugiej stronie w ogrodzie ładnie szumiał potok. Spojrzałam na datę założenia umieszczoną nad drzwiami — pensjonat istniał już od dawna — mogło się zgadzać. Miałam uczucie, że już tu byłam, wtedy z mamą — prawda czy tylko złudzenie, nie miało to większego znaczenia. Dom był ładnie odnowiony, starannie utrzymany. Zadawało to kłam powszechnemu przekonaniu, że z czasem wszystko idzie zawsze ku gorszemu.

Wewnątrz powitały mnie zabawne stare meble, widać pieczołowicie zbierane i konserwowane, lampy naftowe, przyjazne wiekowe przedmioty.

W salonie, do którego tylko zajrzałam, zauważyłam trzy przepiękne secesyjne obrazy, pianino — i oczywiście niezbędny olbrzymi telewizor.

Deszcz rozpadał się na dobre już pierwszego wieczoru i padał sobie spokojnie i równiutko przez następne dni. Nieliczni i tak o tej porze goście powoli zaczęli się rozjeżdżać. Byłam więc właściwie sama. Trójka Duńczyków w średnim wieku, łagodnie autystyczna, zajmowała się tylko sobą, a głównie równomiernym i systematycznym konsumowaniem alkoholu. Robili wrażenie, jakby niedokładnie wiedzieli, gdzie są, i nie bardzo ich to obchodziło.

Ja zaś powoli wyczerpywałam wszystkie punkty wyznaczonego sobie programu. Spacerowałam nad potokiem w kaloszach, otulona płaszczem przeciwdeszczowym, pojechałam kolejką na pobliską górkę i obejrzałam lasy spowite mgłą. Popijałam cierpliwie miejscową wodę mineralną, czytałam książki. Atrakcją stały się posiłki, zapach gorącej zupy, unoszący się w jadalni w zimny, deszczowy dzień. Atrakcją był także właściciel hotelu — młody, przystojny, małomówny. Niestety pojawiał się rzadko. Uśmiechał się uprzejmie, sprawdzał jakieś lampki, przeciągał palcami po politurowanych meblach w poszukiwaniu kurzu, poprawiał nierówno wiszący obrazek — i znikał w swoim biurze.

Wieczorami siadałam w saloniku, aby napić się herbaty i — wbrew moim wakacyjnym zwyczajom — jednak trochę pogapić się w telewizor. Byłam tu sama — Duńczycy, pełni po brzegi — wcześnie udawali się na spoczynek. Czasem na chwilę zaglądał właściciel. Zdążyłam mu się przyjrzeć — miał świetliste niebieskie oczy w bardzo opalonej twarzy i ciemne włosy, leciutko siwiejące na skroniach. Było w nim to, co zawsze podobało mi się w mężczyznach — połączenie energii i spokoju oraz pewna oszczędność czy wstrzemięźliwość w sposobie bycia.

Któregoś wieczoru usiadł koło mnie w fotelu — wyraźnie zmęczony codziennym doglądaniem domu, tak jak ja zmęczona już byłam codziennym odpoczynkiem. Przez chwilę siedzieliśmy tak sobie w milczeniu. Dwoje obcych, przypadkowo razem, w przypadkowej godzinie — którzy pewnie nigdy już się nie spotkają.

— Piękne ma pan tu obrazy — pochwaliłam, aby przerwać ciszę.

— Zauważyła pani? — uśmiechnął się z lekką dumą. — A wie pani, gdzie je znalazłem? Na śmietniku. Sam je odrestaurowałem — ożywił się wyraźnie. — Cieszę się, że się pani podobają — większość ludzi po prostu nic nie widzi.

Siedzimy w cichym, pustym domu — palą się tylko małe lampki, telewizor dawno przestał gadać. Rozmawiamy o przedmiotach.

— Prawie wszystko, co tu stoi, zdobyłem sam, sam odnowiłem — meble, zegary, obrazy. Lubiłem to od dzieciństwa. Pokażę pani...

Kładzie mi rękę na ramieniu. Roztacza przede mną swój urok, którego pewnie jest świadomy. Urok, z którego nic wyniknąć nie powinno — uczucie ciepłe jak owa zielona herbata — sprawia, że tylko nieco szybciej bije serce, ale nie parzy ust.

Wstajemy i wędrujemy po pustych korytarzach i pokojach, zapalamy lampki, gasimy. Oglądam różne piękne przedmioty, słucham trochę nieuważnie — rozmyślam o tym, jak szybko w pewnych okolicznościach nawiązuje się przyjaźń.

— A w komodzie, która stoi w jadalni, znalazłem kiedyś list samobójcy — dochodzi do mnie nagle jego głos.

— W komodzie... list samobójcy?

Wchodzimy po schodach na pierwsze piętro, czerwony pluszowy chodnik tłumi nasze kroki. Rzeczywiście, komodę w jadalni widziałam wiele razy, ale jakoś nie zwróciłam na nią uwagi. Piękny mebel — zrobiony ze złocistego drzewa orzechowego, starannie wypolerowany. Ma sześć owalnych, łagodnie wygiętych szuflad — po trzy z każdej strony, z metalowymi, kutymi rączkami — i jedną wąską szufladę na całą długość blatu. Mój gospodarz wysuwa ją nieco.

— Tam pod nią, w głębi, jest skrytka. W skrytce był list.

Przez chwilę milczymy, każde zajęte swoimi myślami — właściciel zamyka jadalnię. Czas chyba powiedzieć sobie „dobranoc". Ale ja muszę zadać pytanie.

— Opowie mi pan o tym liście?

Siadamy koło siebie na ciemnych schodach — świadomi, że takich opowieści nie można słuchać na stojąco.

— Kupiłem tę komodę dawno temu, jeszcze jako student. Zawsze zbierałem starocie, choć jeszcze nie wiedziałem, co z nimi zrobię. Znałem taką starą panią, byłą ziemiankę, do niej jeździłem najczęściej...

— Tu w okolicy?

— Na wsi. Trzymała te swoje antyki w starej szopie. Deszcz kapał przez szpary. Często kupowałem cokolwiek tylko po to, by nie dać temu zniszczeć. Przywiozłem tę komodę do domu i postawiłem na razie w piwnicy. A potem pojechałem do Stanów zarabiać pieniądze. Na ten dom właśnie...

Uśmiecha się i rozkłada ręce, jakby chciał całą swoją ciężko zapracowaną posiadłość wziąć w ramiona.

— Minęło sporo czasu, zanim zająłem się meblami i tą komodą. Mebel był zniszczony, musiałem rozebrać go na części, odnowić... i wtedy właśnie ze skrytki wypadł list. Miałem w rękach prawdziwą ludzką tajemnicę i nie wiedziałem, co z nią zrobić...

— Ale to przecież dokonało się dawno temu — dopowiadam — i sama zaczynam się zastanawiać, co zrobiłabym na jego miejscu.

— Wydawało mi się, że może jest jakiś powód, dla którego list wpadł właśnie w moje ręce, i że wymaga to jakiegoś specjalnego mojego zachowania... Może powinienem był poszukać kogoś

z bliskich tego człowieka, ale pewnie nikogo już
nie było. Komoda należała do zasobów rodzinnych
owej starszej pani. List był pisany do siostry —
może ona była ową siostrą, ale zmarła w między-
czasie. To był młody człowiek, mógł być w moim
wieku. Zastrzelił się.

— Dlaczego? — oczywiście bardzo chciałabym
wiedzieć wszystko, co było w liście, ale przychodzi mi do głowy tylko to proste pytanie.

— Wie pani, co zrobiłem? — pyta mój roz-
mówca, a w jego głosie brzmi coś w rodzaju trium-
fu. — Przesiedziałem tej nocy wiele godzin z li-
stem w ręku, a nad ranem go spaliłem.

— I nie opowie mi pan, co było w środku...

Uśmiecha się, ciągle jeszcze dumny z tamtej
decyzji.

— Nie po to go spaliłem. Ale pani, osoba pi-
sząca, może sobie resztę po prostu wymyślić...
— A kiedy spotyka moje rozczarowane spojrze-
nie, dodaje: — To była sprawa honorowa...

Niedługo później, po lekko skrzypiących schodach, wróciłam na górę do mojego pokoju. A kiedy
próbowałam zasnąć, przed moimi zamkniętymi
oczami pojawił się ów samobójca, przybierając
twarz właściciela hotelu... Piękny, młody...

I co to znaczyło: sprawa honoru — czy prze-
grał pieniądze w karty, miał długi, uwiódł dziewczynę... może bał się pojedynku... wtedy, sto lat
temu? Łatwo wymyślić mu jakąś romantyczną

historię... Przeszłość jest zamknięta, ale otwarta dla wyobraźni. Aż nagle zrobiło mi się go żal... tego młodego człowieka, który nie poradził sobie z życiem. Widziałam go, jak siedzi i pisze list do siostry, jedynej osoby, której ufa — list, którego nigdy nie dostała.

A ja, sto lat później, krążę wokół niego — niepoprawna wampirzyca...

Wyszłam na balkon. Deszcz przestał padać, biała mgła łagodnie unosiła się nad drzewami. Jutro wyjeżdżam.

Będę musiała pożegnać się z moim gospodarzem i z owym młodym samobójcą, którego historii nie opiszę.

Scenki rodzinne

Byłam tego niedzielnego popołudnia sama w Warszawie. Ten stan rzeczy wielce mnie zadowalał, przedpołudnie bowiem spędziłam bardzo pracowicie. Kręciliśmy film dokumentalny, w którym miałam być jednym z głównych tak zwanych świadków historii. Wprawdzie sama ciągle jeszcze nie kojarzę siebie ani z historią, ani z muzeum, ale jak pytają — to odpowiadam. Nagrywaliśmy w małej warszawskiej kawiarni. Oprócz mnie reżyser — starszy pan o miłym uśmiechu i zmęczonych oczach, oraz jego asystent, facet tak urodziwy, że patrzyłam chętniej na niego niż w kamerę — co szalenie pomagało mi w koncentracji. Był jeszcze pan od kamery, którego niewiele interesowało to, co mówię, a tylko to, jak wyglądam, natomiast pan od dźwięku widział rzecz zupełnie odwrotnie. A ja mówiłam o wojnie, o Żydach, o latach pięćdziesiątych. Mówiłam o bólu, którego wtedy nie rozumiałam, ale pamiętałam tym mocniej.

Reżyser był także człowiekiem po przejściach, rozmawiało nam się łatwo, choć tematy łatwe nie były. To, że wycelowana była we mnie kamera, odczuwałam nawet jako coś elektryzującego. Kiedyś bałam się takich występów, potem nauczyłam się traktować je jako pewnego rodzaju wyzwanie sportowe. Jednak mówienie o sprawach osobistych zawsze jest trudne — tak więc choć wiedziałam, że taka jest moja rola, byłam zadowolona i trochę zmęczona, gdy było po wszystkim.

W samochodzie wiozącym mnie do hotelu zabawiałam się, wyobrażając sobie, jak spędzą resztę dnia moi czterej towarzysze niedoli. Oczami duszy widziałam przystojnego asystenta, jak wraca do domu, gdzie wskakują mu na kolana dwie małe córeczki, i jak adonis błyskawicznie i nieodwracalnie zmienia się w tatusia, gdyż wbrew pozorom tych dwóch ról w życiu pogodzić się nie da.

Reżyser zaś — myślałam sobie — otwiera drzwi mieszkania swojej wieloletniej przyjaciółki, u której wylądował po kolejnym rozwodzie. „Kochany — mówi owa dama. — Niczego nie gotowałam, przecież wiem, jak lubisz kucharzyć w niedzielę...". „A nie mogłabyś zrobić choć raz czegoś wbrew staremu zwyczajowi?" — myśli głodny i zmęczony reżyser, ale rozliczne doświadczenia oduczyły go dyskusji z kobietami, więc posłusznie wkłada fartuszek i zamyka się w kuchni. Pan od dźwięku, jak co niedziela, pędzi do teściowej, gdzie przy stole czeka już cała rodzina. „Umyj rączki, zięciu, zupka na stole" — mówi teściowa, która uwielbia zdrabniać wyrazy. „A ty mnie nie pouczaj, zołzo" — myśli ów pan, ale uśmiecha się mile, kierując się w stronę łazienki.

Co w tym czasie robił pan od kamery, nie zdążyłam już wymyślić, bo właśnie zajechałam przed hotel i także postanowiłam zjeść obiad. W dość pustej restauracji hotelowej pod ścianą nudzili się dwaj kelnerzy, a przy dużym stole świętowała jakaś rodzina. Słyszałam każde słowo. Wydawało mi się nawet, że grają scenę z jakiegoś poczciwego serialu. Byli już zapewne po pierwszych kieliszkach. Przysadzisty tatuś o schrypniętym głosie, syn pewnie dwudziestoletni, spocony, w białej koszuli, oraz trzy korpulentne i bez wieku panie — mama i dwie ciocie. Był jeszcze dziadek — siwy, chudy i przygarbiony, który nie brał udziału w rozmowach, tylko systematycznie i gorliwie opróżniał swój talerz. „Na starość człowiek robi się żerny" — zauważył kiedyś pewien polski poeta.

Rodzinka zaś „obrabiała" nieśmiałego młodego człowieka. Chodziło, jak się zorientowałam, o jego przyszłość i pracę.

— Mówiłem mu sto razy, żeby się zwrócił do moich kolegów — zachrypiał tata. — Ma się jeszcze paru znajomych w tym mieście. Ale czy on kiedy posłucha…

Młody człowiek bronił się coraz słabiej.

— To ja bym może do Anglii... — wyszeptał wreszcie i pochylił się nad talerzem.

Panie zaś zajęły się znacznie przyjemniejszym tematem: możliwościami robienia zakupów w ich dzielnicy.

— Wiesz, ja zawsze kupuję tam, no wiesz, tam gdzie przed wojną były żydowskie sklepy...

W tym momencie obudził się milczący dotąd dziadek.

— A ja nie lubię Żydów — powiedział bardzo głośno i wyraźnie. — Nigdy nie lubiłem Żydów. Śmierdzą!

Zaległa cisza i wszyscy spojrzeli na mnie — nikogo innego w sali nie było. Miałam wielką ochotę podejść do starszego pana.

— Tak — chciałam powiedzieć. — Ma pan rację. Bywali Żydzi brudni, nieprzyjemni, śmierdzący. Byli, ale już ich nie ma. Więc niech pan się nie martwi. Szansa, że spotka pan na ulicy Żyda, jest zgoła minimalna. Czy wie pan, ilu jest w Polsce Żydów? Jest ich mniej niż dziesięć tysięcy — w czterdziestomilionowym narodzie — mniej niż na przykład filatelistów. Zamordowano ich wszystkich, brudnych i czystych, młodych jak pański wnuk i starych jak pan... Nie ma ich już i może dlatego to pan siedzi przy niedzielnym obiedzie z rodziną. A ja siedzę sama.

Wstałam, zapłaciłam i wyszłam do pobliskiego parku. Nie było tu prawie nikogo, wciąż jesz-

cze trwała pora obiadowa. Zaszyłam się w alejce,
usiadłam na ławce. Zbierało się na deszcz. A mnie
przez chwilę zdawało się, że jestem sama w tym
parku — sama na całym świecie.

Oni

Dla Jakuba

Zbudowali dom. Byli młodzi, kochali się, miało im się urodzić dziecko. A kiedy przyszło na świat, przez krótki, bardzo krótki czas byli we troje. Oni i ja.

Dziś pozostała mi tylko pamięć, ułomna pamięć — jako namiastka miłości, której było za mało. Na którą już nie czas.

Przez większość życia mówimy o nich ONI. To słowo różne ma odcienie — mówimy je czasem z rozdrażnieniem, w pewnym wieku często ze złością — później już coraz bardziej łagodnie i pobłażliwie. Rzadko — w szczęśliwych chwilach — mówimy je z dumą. Oni — nasi rodzice. Kiedy jesteśmy mali, wydaje nam się, że wiemy o nich wszystko — stanowią i określają cały świat — a ten świat taki wydaje się prosty.

Potem nagle nie chcemy nic o nich wiedzieć. Odrzucamy ich wszelkie próby zbliżenia jak niepotrzebny balast. Oni — tacy przewidywalni, tacy zwyczajni, podczas gdy nam ręce płoną od budowania nowego świata, w którym coraz mniej jest dla nich miejsca. Nie chcemy być skutkiem, lecz przyczyną, nie produktem, lecz twórcą.

Ona. Podobno była bardzo ładna. On zresztą też. Miałam ładnych rodziców — tu mi się udało — żadna w tym moja zasługa, a pożytku z tego sporo.

Nie śpieszyła się z tym dzieckiem — może chciała po prostu jeszcze przez czas jakiś lekko i beztrosko sobie pożyć. Nie pozwolono jej studiować medycyny, chociaż tego pragnęła. Chciała więc przynajmniej dobrze się bawić, ładnie ubierać, malować, bywać u fryzjera. Chciała chodzić na tańce, do tak bardzo zawsze przez nią kochanego teatru, no i — jak to wtedy było w modzie — prawie codziennie do kina.

Była niewysoka, zbyt szczupła jak na tamte czasy — mąż karmił ją tranem, żeby utyła, a ona ten tran podsuwała psu. Miała brązowozielone oczy — on widział w nich tajemnicze błyski — ja, córka, niczego takiego już nie zauważyłam. Ubierała się elegancko — z tą spokojną elegancją, charakterystyczną dla rodzin, w których żyje się dostatnio, przekazywaną z pokolenia na pokolenie. Nosiła wąskie spódniczki, koronkowe kołnierzyki i zawsze kwiaty przy klapie modnie wciętego żakietu.

Często i chętnie się śmiała — ale nie umiała mówić komplementów ani kogoś pochwalić — strasznie się przy tym mieszała i czerwieniła. Zawsze miała poczucie humoru, nie traciła go nawet w najgorszych czasach i nigdy nie narzekała, ani na Hitlera, ani na Stalina — ani nawet na mnie.

Przyjmowała wszystko jak dopust boży — a potem, od czasu kiedy w mrocznych dniach okupacji uznała, że Bóg nas porzucił, a więc należy porzucić i Jego — jako zrządzenie losu. W przeciwieństwie do mnie nigdy nie dyskutowała z rzeczywistością i nie próbowała jej zmieniać. Za to umiała zawsze wszystko zaczynać od początku.

W młodości miała wielu adoratorów, ale wszystkich przesłonił on.

Czy go kochała? Nie wiem — myślę, że to on postanowił, że będzie go kochać, i tak już zostało. Był bardzo męski, odważny, zbuntowany, pewnie czasem źle wychowany, głośny. Niczego w swoim krótkim życiu nie dostał za darmo. Wszystko sam musiał sobie wywalczyć. Ubogi żydowski chłopak z Kazimierza — sierota. Jako „środkowy" z czterech braci — zdany tylko na siebie — zmuszony był rozdzielać ciosy na prawo i lewo — bronić się przed starszym bratem, dyscyplinować młodszych. Ojca prawie nie znał, matka była zapracowana, biedna i bezradna.

Przystojny, wysoki, czarnowłosy, o śniadej cerze, którą po nim odziedziczyłam, był potomkiem włoskich Żydów, którzy w czternastym wieku przywędrowali tu za króla Kazimierza Wielkiego. Budowali domy, świątynie — byli architektami, malarzami, murarzami. Ich zręczne ręce wytwarzały tkaniny, przedmioty kultu, ale także chleb. Przez setki lat — przez pokolenia. Dlatego tylko pobłażliwie się uśmiecham, kiedy czasem pytają mnie, czy Polska jest moją ojczyzną. Przecież rodzina moja mieszkała tu od siedmiuset lat. Nie wiem, czy mógłby powiedzieć to o sobie niejeden antysemita.

W końcu stało się tak, jak to sobie wymarzył mój ojciec — byli bogaci, no, powiedzmy, zamożni, stać ich było na dziecko.

Dzień, kiedy przyszłam na świat, był piękny, cudownie słoneczny, niedziela. — „Ciepło jak w Sorrento" — zapisze w swoim pamiętniku Maria Dąbrowska. A był to już trzynasty listopada.

Miałam urodzić się nieco wcześniej. Dziewiątego listopada ojciec odwiózł żonę do kliniki. Czy bardzo była zdenerwowana, może płakała? Nie wiem. Była młoda, delikatna, rozpieszczana przez rodzinę. To miało być jej pierwsze dziecko — pewnie po prostu się bała.

Dziewiątego listopada w roku mojego narodzenia w Niemczech zapłonęły synagogi. Nazywają to dziś, trochę zbyt pięknie, „Kristallnacht", ale nie było w tej nocy nic kryształowego.

Dlaczego do tego wracam? Dla wielu to już historia — dla niektórych nawet prehistoria. Myślę jednak, że warto wiedzieć, jaki był ten świat, w który nas tak znienacka wrzucono — interesuje to każdego, ale mało kto się nad tym zastanawia. A może warto, może w jakiś sposób jest to dla nas ważne — jakie były kolory, zapachy, smaki tego świata naszych pierwszych dni, na który patrzyliśmy wielkimi, zdziwionymi oczami.

Dziewiątego listopada w roku mojego urodzenia na ciemnych ulicach niemieckich miast wrzeszcząca lub milcząca gawiedź przyglądała się, jak płonęły święte księgi w aksamitnych okładkach, ozdobionych złotymi, tłoczonymi literami. Jak płonęły pergaminowe zwoje Tory, księgi, szaty liturgiczne.

Nie było w tym, wbrew temu, co się powszechnie dziś uważa, nic spontanicznego, był to starannie przez władze państwowe przygotowany pogrom. Część Żydów, przeważnie młodych mężczyzn, już wtedy została przetransportowana do obozów. W Polsce zaś w tych dniach na murach pojawiały się różne wierszyki. Na przykład taki: „Jeśli Polski chcesz bez Żyda, to twój głos się w urnie przyda". Wierszyk o tyle niepotrzebny, że w rok później i tu Hitler wziął sprawę w swoje ręce.

W tej sytuacji prawdopodobnie postanowiłam wcale się nie urodzić — bo przez następne trzy dni nic się nie działo. Czekali.

Nie było wtedy takich cudów medycyny jak dziś, tych wszystkich zabiegów, zastrzyków. Nawet cesarskie cięcie zarezerwowane było, zdaje się, rzeczywiście tylko dla żon cesarzy. Koleżanka szkolna mamy, która była lekarzem w tym samym szpitalu, mówiła tylko: „Wytrzymaj, Tosiu, wytrzymaj" — i spoglądała na zegarek.

Wreszcie w piękny, niedzielny poranek zdecydowałam się przyjść na ten świat. Przyszłam do nich. A jeszcze dzisiaj niewiele o nich wiem — kim naprawdę byli, dlaczego się spotkali. I czy to ja właśnie miałam być tym najważniejszym skutkiem, owocem tego spotkania. Czy zasłużyłam na ten zaszczyt, czy ich rozczarowałam. Jakie mieli wobec mnie ambicje, jakie plany. I czy udałoby mi się im sprostać — gdyby oczywiście wojna nie przewróciła wszystkiego do góry nogami.

Ze wspomnienia o nim nie zostało nic prawie — tylko jego brak, pustka, niejasne uczucie niespełnienia.

Ją pamiętam oczywiście o wiele lepiej. A najlepiej pamiętam jej głos — słowa, które mówiła, te jej ulubione powiedzonka, które kiedyś przyprawiały mnie tylko o irytację. Dziś towarzyszą mi na wielu drogach — jak dobre, poczciwe echo. „Trzeba żyć z ludźmi, Roma — mówiła — a ty nie umiesz żyć z ludźmi". Było to w czasach, kiedy ja, młoda i gniewna, skreślałam, wprost zmiatałam z powierzchni ziemi wszystkich, którzy nie spełniali moich młodzieńczych oczekiwań.

Pamiętam jej głos i te nasze rozmowy, w których do dziś wzniosłość miesza się z banalnością.

„Przecież już to masz, Roma — mówiła zmęczonym głosem, kiedy wracałam rozogniona widokiem jakiejś kolorowej szmatki na wystawie. Zastanów się, nie wydawaj pieniędzy — przecież już to masz".

Dziś „wszystko to już mam" — a z rzeczy materialnych im więcej mam, tym mniej jest mi potrzebne.

Dzisiaj, w tej mojej samotnej dorosłości (a może dorosłość zawsze musi być samotna?), kiedy myślę, kim jestem, dlaczego jestem, i ciągle jeszcze odkrywam siebie od nowa — myślę też i o nich.

Myślę o dniu mojego urodzenia — ważnym dla mnie, jeszcze ważniejszym dla nich.

Chciałabym choć raz spotkać ich takich, jacy byli wtedy — beztroskich, roześmianych. Chciałabym znać ich dzień powszedni — wiedzieć, co jedli, o czym rozmawiali, jakie czytali książki, co ich bawiło, z czego się śmiali. I co z tego do dziś zostało we mnie.

Zastanawiam się, co z ich doświadczeń mogłoby być i moim udziałem.

Zastanawiam się, choć czynić tego nie powinnam, jak bym zachowała się na ich miejscu — ja, taka zawsze przerażona, zmęczona, nerwowa — gdybym, tak jak oni, musiała w czas wojny zdawać najtrudniejszy w życiu egzamin.

Dziś są na drugim brzegu — dzieli mnie od nich morze mojego własnego życia, własnych doświadczeń, w których nie mieli już udziału. Z tego drugiego brzegu machają do mnie czasem życzliwie rękami — dwoje obcych młodych ludzi z czarno-białej fotografii — moi rodzice. Oni.

Notka redakcyjna

Część tekstów zebranych w książce powstała specjalnie do niniejszego wydania: *Okulary mojej mamy*, *Dzień luksusu*, *Jak w kinie*, *Sycylia, Sycylia*, *Serce na dłoni*, *Wybór*, *Dziwne sklepy*, *Spłowiały pamiętnik*, *List samobójcy*, *Oni*. Pozostałe były drukowane na łamach miesięcznika „Pani" w latach 2006–2007. Na potrzeby tej edycji zostały przejrzane i zredagowane.

Spis treści

Okulary mojej mamy   7
Ciekawe życie   13
Wiosenna lekkość bytu   17
Dzień luksusu   22
Różowy krem   29
Stanąć obok...   34
Wszystko z miłości   39
Jak w kinie   44
O szczęściu   54
Sycylia, Sycylia   59
Być jak drzewo   69
Wściekłość na schodach   74
Droga do nieba   79
Dziewczyna w białej bluzce   83
Serce na dłoni   88
Gwiazdy dalekie i bliskie   94
Koncert o zachodzie słońca   99
Wybór   104

Droga do domu   111
Dziwne sklepy   116
Spłowiały pamiętnik   123
List samobójcy   129
Scenki rodzinne   138
Oni   143

Notka redakcyjna   151

© Copyright by Roma Ligocka
© Copyright by Wydawnictwo Literackie, Kraków 2007

Wydanie pierwsze

Redakcja
Krystyna Zaleska
Katarzyna Krzyżan-Perek

Korekta
Henryka Salawa, Urszula Srokosz-Martiuk,
Małgorzata Wójcik

Projekt okładki i stron tytułowych
Jakub Boneral

Redaktor techniczny
Bożena Korbut

Printed in Poland
Wydawnictwo Literackie Sp. z o.o., 2007
ul. Długa 1, 31-147 Kraków
bezpłatna linia telefoniczna: 0 800 42 10 40
księgarnia internetowa: www.wydawnictwoliterackie.pl
e-mail: ksiegarnia@wydawnictwoliterackie.pl
fax: (+48-12) 430 00 96
tel.: (+48-12) 619 27 70
Skład i łamanie: Scriptorium „TEXTURA”
Druk i oprawa: Drukarnia DEKA

ISBN 978-83-08-04098-0

Roma Ligocka
w Wydawnictwie Literackim

Znajoma z lustra

OPRAWA TWARDA
CENA 29,99
ISBN 83-08-03868-9

Roma Ligocka opowiada o miłości i dramatach dzieciństwa, o podróżach i przyjaźni z sobą samą.

Kim więc jesteśmy i kiedy jesteśmy naprawdę?
Lubię czasem zanurzyć się w tłumie obcych
przechodniów. Lubię mieszkać w hotelach. Lubię,
siedząc w kawiarni, obserwować ludzi, zastanawiać się,
jaki zawód wykonują, jak się nazywają, ile mają lat.
Prawdopodobnie nigdy się tego nie dowiem. Oni też
nie dowiedzą się, kim była ta pani, która właśnie
samotnie wypiła tu cappuccino.

(fragment książki)

Wszystkie książki Wydawnictwa Literackiego
można zamawiać poprzez:
internet www.wydawnictwoliterackie.pl
bezpłatną infolinię 0 800 42 10 40

Roma Ligocka
w Wydawnictwie Literackim

Tylko ja sama

OPRAWA TWARDA
CENA 39,99
ISBN 83-08-03654-6

OPRAWA BROSZUROWA
CENA 32,99
ISBN 83-08-03646-5

O swoim niezwykłym spotkaniu z nieżyjącym ojcem,
o trudnej walce o jego dobre imię,
o niełatwej miłości do ukochanego mężczyzny,
   miłości, na którą zawsze jest się wystarczająco młodym,
o podróżach i wielkim świecie,
o tym, czym jest szczęście i zgoda na samą siebie,
pisze w swojej książce Roma Ligocka.

Jednocześnie autorka odkrywa wstrząsającą
tajemnicę rodzinną, w której szczególną rolę odegrał
jeden z jej najbliższych krewnych.

Tylko ja sama to piękna i intrygująca opowieść o życiu.

Wszystkie książki Wydawnictwa Literackiego
można zamawiać poprzez:
Internet www.wydawnictwoliterackie.pl
bezpłatną infolinię 0 800 42 10 40

Roma Ligocka
w Wydawnictwie Literackim

Kobieta w podróży

OPRAWA BROSZUROWA
CENA 29,99
ISBN 83-08-03285-0

Roma Ligocka patrzy na świat. Piękny, okrutny, bezmyślny, śmieszny. Miniony, niedawny, dzisiejszy. Obserwacje i wspomnienia składają się na niezwykłą opowieść.

Współistnieją w niej zdarzenia zabawne i tragiczne, przewijają się rozmaite miejsca – Kraków, Wiedeń, Monachium; spotykają się postaci dawno nieżyjące i ludzie obecni w życiu autorki. Roma Ligocka z żartobliwą nostalgią wspomina czasy, gdy nie miała grosza przy duszy, ale za to jadła obiad z księżną Monako. Kreśli barwne portrety przyjaciół, członków rodziny, męża – artysty, ale i osób nieznajomych czy wręcz nieprzyjaznych. Kieruje ostrze ironii zarówno przeciw uprzedzeniom rasowym, jak i wybiórczej politycznej poprawności.

Wszystkie książki Wydawnictwa Literackiego
można zamawiać poprzez:
Internet www.wydawnictwoliterackie.pl
bezpłatną infolinię 0 800 42 10 40